M000290965

DELE TRATAMIENTO A SU ESPALDA

ROBIN McKENZIE, O.B.E., F.C.S.P., F.N.Z.S.P., (Hon) DIP. M.T.

SPINAL PUBLICATIONS LTD.
P.O. BOX 93, WAIKANAE, NEW ZEALAND

© Robin McKenzie 1985

ISBN 0-9597746-9-6

First published in English 1980

Revised edition in Spanish July 1992

RECONOCIMIENTO

Mi agradecimiento especial por la ayuda recibida para producir este libro a Paula Van Wijmen, que examinó y corrigió mis manuscritos y me ayudó de modo importante a aclarar el material que contiene.

Paula recibió su preparación como fisioterapeuta en Holanda, donde se graduó en 1967. Trabajó en el Canadá durante ocho años y, desde entonces, ha estado en práctica privada a tiempo completo en Nueva Zelanda, donde ayudó en mi clínica en la ciudad de Wellington. En 1979, Paula recibió un diploma de terapia manipulativa de la Asociación de Terapeutas Manipulativos de Nueva Zelanda (New Zealand Manipulative Therapists Association).

En la actualidad, se dedica primordialmente a la educación de profesionales de salubridad, tanto en Nueva Zelanda como en otros países.

Robin McKenzie

PREFACIO

Uno de los hechos más notables de la medicina moderna es la variación de cronicidad del dolor de espalda en las sociedades modernas, en función de los problemas de espalda de las primitivas. Los médicos que cuidan a pacientes en hospitales misioneros y otras instalaciones del Tercer Mundo señalan que los problemas crónicos de espalda y piernas relacionados con los discos lumbares no son comunes en absoluto. Sin embargo, en nuestra sociedad, con el beneficio de los cuidados modernos, el dolor de espalda es una de las afecciones musculoesqueléticas más comunes. De hecho, se trata del "mal" más costoso en los Estados Unidos, cuando se toman en cuenta los costos de incapacidad, además de los de la atención médica. ¿Cuál pudiera ser la explicación?

La inactividad, el reposo prolongado en la cama, el uso de diversas modalidades eléctricas, tales como diatermia y ultrasonidos, son todos ellos modos desconocidos de tratamiento en los mundos primitivos. La actividad es una necesidad para todos, excepto los que están más enfermos en esas zonas. En contraste, la atención habitual en las sociedades occidentales para el problema persistente de la espalda, quizá con dolor asociado en las piernas, se inicia por lo común con una recomendación del médico o terapeuta de que "se tomen las cosas con calma". Con frecuencia, esta atención inactiva se asocia a diversas modalidades que se proponen para reducir los espasmos musculares y el dolor. A propósito, no hubo nunca ningún estudio científico que demostrara la eficacia de esos aparatos eléctricos. ¿Podría existir alguna relación entre la inactividad del cuidado "moderno" a la espalda y la persistencia de los problemas de espalda en las sociedades occidentales de hoy en día?

¿Cuáles son las actividades más eficientes y eficaces (ejercicios) para tratar un dolor de espalda? Se ha demostrado, mediante las investigaciones realizadas en nuestra propia institución, así como también en varias otras, que un plan de tratamiento activo, incluyendo ejercicios especiales para la espalda, tales como los que se describen en este libro, tiene mayores probabilidades de dar como resultado la resolución de un problema de discos que los tratamientos inactivos. Estos ejercicios de McKenzie son diferentes de los programas habituales que se enfocan en el fortalecimiento de los músculos. Estos ejercicios hacen hincapié en el mejoramiento de la estructura y el metabolismo de los tejidos blandos, incluyendo el disco. La parte agradable de este tratamiento activo es que podemos hacerlo nosotros mismos con facilidad. Requiere muy pocos equipos. De modo ideal, se lleva a cabo con la supervisión de un terapeuta adiestrado; pero en general gran parte del tratamiento se realiza, siguiendo unos cuantos lineamientos básicos, tales como los que se bosquejan en este libro.

Así pues, me siento muy complacido de recomendar este volumen de Robin McKenzie. Se trata de un método seguro y fidedigno para resolver los problemas de espalda relacionados con los discos lastimados. Nunca ha causado daños a ningún paciente. Es extremadamente poco costoso y para los escasos pacientes que no obtienen mejoría con él, la atención médica especializada puede proporcionarles por lo común una solución y una respuesta bien definidas.

Mediante una mayor utilización de los métodos por los que se aboga en este libro, se puede esperar que la salud de la espalda mejore. De hecho, tenemos muy buenas razones para pensar que la espalda más sana tiene menos probabilidades de sufrir lesiones repetidas. Por consiguiente, podemos tratar en realidad nuestras propias espaldas.

Vert Mooney, doctor en medicina
Profesor y presidente del consejo, División de Ortopedia
Centro de Ciencias de la Salud, Universidad de Texas, DALLAS, E.U.A.

SOBRE EL AUTOR

Robin McKenzie nació en Auckland, Nueva Zelanda, en 1931. Después de asistir al Wairarapa College, se inscribió en la Escuela de Fisioterapia de Nueva Zelanda, en la que se graduó en 1952. Desde 1953, cuando inició su práctica privada en Wellington, Nueva Zelanda, se ha especializado en el tratamiento de los problemas espinales.

Durante la década de 1960, desarrolló sus propios métodos de examen y tratamiento y, desde entonces, ha obtenido reconocimiento internacional como autoridad de diagnóstico y tratamiento del dolor en la baja espalda. Ha dado conferencias por todo el mundo y, para dar una idea del éxito del sistema de tratamiento que desarrolló, sus métodos se están poniendo en práctica en la actualidad en Norteamérica, Europa, Escandinavia, Asia, Australia y Nueva Zelanda.

El éxito del concepto de tratamiento de McKenzie ha hecho despertar un interés considerable entre los investigadores de diversas partes del mundo. Varios proyectos de investigación demuestran la eficacia y la importancia del sistema. Sobre todo, uno de dichos proyectos, llevado a cabo recientemente en la Universidad de Texas, en Dallas, Estados Unidos, ha demostrado que dichos métodos se pueden aplicar con buenos resultados a la mayoría de los problemas de espalda y son eficaces con mayor rapidez para una cantidad mayor de personas que otros métodos de tratamiento estudiados al mismo tiempo.

Para asegurar el desarrollo ordenado de la educación y la investigación en los métodos inventados por Robin McKenzie, se constituyó en 1982 el McKenzie Institute. Este último, fundado por doctores y fisioterapeutas dedicados al proceso de enseñanza, es una organización internacional sin afanes de lucro, con sus oficinas centrales en el Reino Unido. Robin McKenzie fue elegido como primer presidente.

El señor McKenzie ha publicado artículos en el New Zealand Medical Journal (Diario Médico de Nueva Zelanda) y es autor de cuatro libros: Déle tratamiento a su espalda, Déle tratamiento a su cuello (que se han traducido al español, el holandés, el francés, el alemán, el chino y el italiano), The Lumbar Spine, Mechanical Diagnosis and Therapy y The Cervical and Thoracic Spine, Mechanical Diagnosis and Therapy.

Robin McKenzie es miembro de la Asociación de Terapeutas Manipulativos de Nueva Zelanda. Es asesor y conferencista del Programa de Fisioterapia Ortopédica en el Kaiser Permanente Medical Center, en Hayward, California, y miembro de la junta editorial del North American Journal of Orthopaedic Physical Therapy and Sports Medicine.

Sus contribuciones a la comprensión y el tratamiento de los problemas espinales se ha reconocido tanto en Nueva Zelanda como a nivel internacional. En 1982, se le declaró miembro honorario de por vida de la American Physical Therapy Association (Asociación de Fisioterapia de los Estados Unidos), "como reconocimiento por sus servicios distinguidos y meritorios en el arte y la ciencia de la fisioterapia y el bienestar de la humanidad." En 1983, se le designó como miembro de la Sociedad Internacional para el Estudio de la Espina Lumbar. En 1984, se hizo miembro activo de la American Back Society (Sociedad Estadounidense de la Espalda) y en 1985 se le concedió la categoría de miembro honorario de la Sociedad de Fisioterapeutas de Nueva Zelanda (New Zealand Society of Physiotherapists).

CONTENIDO

CAPITULO 1

INTRODUCCION

El dolor en la baja espalda que nos afecta a casi todos en algún momento de nuestra vida adulta activa, es uno de los males más comunes que afligen a la humanidad. Se describe en muchas formas, tales como fibrositis, disco desviado, lumbago, artritis de la espalda, reumatismo, o bien, cuando causa un dolor que se extiende hasta la pierna, ciática.

Para la mayor parte de las personas, el dolor en la baja espalda sigue siendo un misterio. Con frecuencia comienza sin advertencia previa ni razón aparente. Obstaculiza las actividades sencillas de la vida y los desplazamientos, e impide que se tenga un buen sueño reparador por las noches. Luego, en la misma forma inesperada, se calma o desaparece. Cuando experimentamos un dolor intenso, por lo común somos incapaces de pensar con claridad en lo que nos molesta y nos limitamos en buscar alivio para el dolor. Por otra parte, en cuanto nos recuperamos de un dolor intenso, la mayoría de nosotros nos olvidamos con rapidez de los problemas que tenemos en la baja espalda. Una vez que desarrollemos un dolor repetitivo en la baja espalda, ya no podremos hacer nada, excepto buscar ayuda, una y otra vez, para liberarnos del dolor. Por lo común, debido a la falta de conocimientos y comprensión, no somos capaces de enfrentarnos por nosotros mismos a los síntomas presentes y no tenemos ninguna forma de prevenir los problemas futuros en la baja espalda.

Las causas de la mayor parte de los tipos de dolores en la baja espalda son muy evidentes. En primer lugar, explicaré por qué se puede producir el dolor en esa posición. A continuación, sugeriré cómo evitarlo, o bien, si en la actualidad está teniendo dolor en la baja espalda, cómo poder recuperarse de él y evitar que se repita.

El punto más importante de este libro es que el cuidado de su espalda es **su responsabilidad**. Por supuesto, podrá acudir a ver a personas con capacidades especiales —doctores, fisioterapeutas o quiroprácticos—, con el fin de recibir tratamiento; pero a fin de cuentas, **sólo usted mismo podrá ayudarse.** El autotratamiento del dolor en la baja espalda se acepta en la actualidad con amplitud. Será más eficaz para el cuidado a largo plazo de sus problemas de la baja espalda que cualquier otro tipo de tratamiento.

Muchas publicaciones tienen la intención de indicarle cómo cuidar su baja espalda, por lo que quizá se esté preguntando por qué se le ofrece otra nueva. La razón para ello es que éste es el primer libro que le muestra cómo **enderezarse la espalda** — usando el término común — si tiene la desgracia de habérsela torcido y, además, le indica cómo evitar que su espalda vuelva a torcerse en el futuro.

Este libro no será adecuado para usted si se le ha desarrollado un dolor en la baja espalda por primera vez. En ese caso, debería consultar a su médico y, si el problema es de origen mecánico, probablemente le enviará a un terapeuta manipulativo para que reciba tratamiento y, lo que es más importante, para que obtenga consejos e instrucciones respecto a la prevención de problemas posteriores en la baja espalda. Debería obtener también asesoramiento, si su dolor de espalda tuviera complicaciones como, por ejemplo, si tuviera un dolor constante que se extienda a la pierna, hasta llegar al pie, si tiene falta de sensibilidad o músculos debilitados y si, además del dolor de espalda, se siente mal. Todas estas circunstancias indican la necesidad de consultar a su médico.

Un terapeuta manipulativo es un fisioterapeuta que se especializa en el tratamiento de trastornos del sistema musculoesquelético. En los Estados Unidos, dicho terapeuta recibe el nombre de fisioterapeuta ortopédico.

Finalmente, este libro ayudará sólo al 80% de las personas que tengan dolor en la baja espalda. Se dedica a quienes tienen problemas mecánicos puros. Espero que corresponda a esta categoría y que la información aquí contenida le resultará clara y útil.

CAPITULO 2

LA BAJA ESPALDA O ESPINA LUMBAR

LA ESPINA

Veamos la espina dorsal humana *(figura 2:1)* o columna vertebral. En la zona de la baja espalda, la columna consiste en cinco huesecillos, las vértebras, que reposan una sobre otra, de modo similar a una pila de carretes de algodón *(figura 2:2)*.

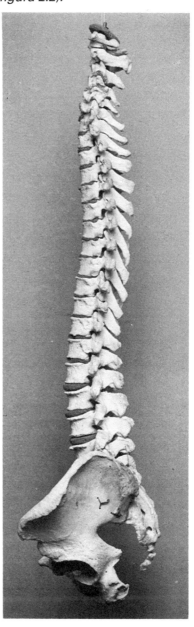

Figura 2:1
La columna vertebral humana, vista
de costado y de cara a la izquierda.

Figura 2:2

Cada vértebra tiene una parte sólida en el frente, llamada cuerpo vertebral, y un orificio en la parte posterior *(figura 2:3)*. Cuando se alinean como columna vertebral, esos orificios forman el canal espinal. Dicho canal sirve como pasaje protegido para el haz de nervios que se extiende desde la cabeza hasta la pelvis —la médula espinal.

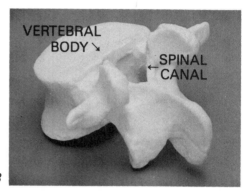

Figura 2:3

Los discos son cartílagos especiales que separan las vértebras. Se encuentran entre los cuerpos vertebrales, en la parte frontal de la médula espinal *(figura 2:2)*. Cada disco consiste en una parte central semifluida blanda, el núcleo, rodeada y retenida por un anillo de cartílago, el ligamento anular o anillo. Los discos son similares a arandelas o roldanas de caucho y actúan como amortiguadores. Pueden modificar su forma, permitiendo de ese modo el movimiento de una vértebra sobre otra y de la espalda en su conjunto.

Las vértebras y los discos se enlazan mediante una serie de juntas para formar la baja espalda o espina lumbar. Cada junta se mantiene unida por los tejidos blandos circundantes —o sea, una cápsula reforzada por medio de ligamentos. Hay músculos que reposan sobre una o más juntas de la baja espalda y pueden extenderse hacia arriba, hasta el tronco, y hacia abajo, hasta la pelvis. En ambos extremos, cada músculo se transforma en un tendón mediante el que se fija a diferentes huesos. Cuando se contrae un músculo, provoca movimiento en una o más junturas.

Entre cada dos vértebras hay una pequeña abertura, a cada lado, por la que sale un nervio del canal espinal: el nervio espinal derecho y el izquierdo *(figura 2:4)*. Entre otras tareas, los nervios espinales les proporcionan a nuestros músculos fuerza y a nuestra piel la capacidad de sentir. En otras palabras, por medio de los nervios podemos movernos y sentir la temperatura, la presión y el dolor. En realidad, los nervios forman parte de nuestro sistema de alarma: el dolor es la advertencia de que alguna estructura está a punto de dañarse o ya está lesionada. En la parte inferior de la espina, algunos de los nervios se combinan a cada lado para constituir el nervio ciático derecho y el izquierdo. Los nervios ciáticos dan servicio a nuestras piernas y, cuando se comprimen o irritan, pueden provocar dolor en la pierna que a menudo se extiende por debajo de la rodilla. Esto se denomina entonces ciática.

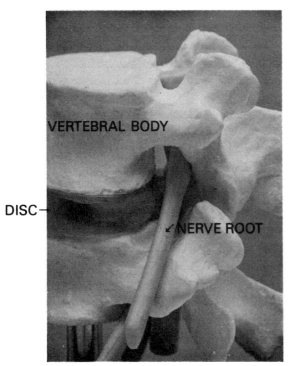

Figura 2:4

FUNCIONES DE LA ESPINA LUMBAR

En los animales cuadrúpedos, el peso de su cuerpo se distribuye uniformemente en las cuatro extremidades. La mayor parte del tiempo, la columna se mantiene en una posición más o menos horizontal y las fuerzas de compresión que existen en el hombre vertical no se producen.

En los seres humanos, la columna se mantiene en una posición más o menos vertical, al menos durante las horas de vigilia y trabajo. Cuando estamos de pie, la espina lumbar lleva el peso completo del cuerpo sobre ella, transmite este peso a la pelvis, al sentarse, y a los pies, cuando se está erguido, caminando o corriendo. Así pues, la espina lumbar, que proporciona una conexión flexible entre la mitad superior y la inferior del cuerpo, protege a la médula espinal y también tiene la función principal de soportar el peso. En la evolución de la postura de espina dorsal horizontal de

5

los animales a la postura de espina vertical del hombre, los discos entre las vértebras se han adaptado para soportar pesos mayores. Además, la columna vertebral ha desarrollado una serie de curvas que permiten de modo ingenioso una mejor absorción de los choques y más flexibilidad.

POSTURA NATURAL

La vista de costado del cuerpo humano en la posición de pie *(figura 2:5)* muestra que hay una pequeña curva hacia adentro en la baja espalda, inmediatamente por encima de la pelvis. Este hueco curvado recibe el nombre de **lordosis lumbar.** Es una característica normal de todos los seres humanos en la espina lumbar y que se formó durante el proceso evolutivo. Nuestra comprensión de la función de la lordosis lumbar es una característica importante de este libro.

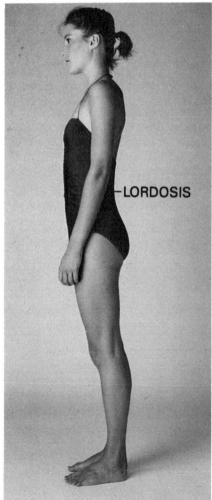

*Figura 2:5
Lordosis*

LORDOSIS

Al permanecer de pie, la lordosis está presente en forma natural, aun cuando varía de unas personas a otras. Se pierde siempre que se redondea la espalda inferior y esto tiene lugar por lo común al sentarse e inclinarse hacia adelante. Si la lordosis se pierde con frecuencia y durante periodos suficientemente prolongados, pueden desarrollarse problemas en la parte inferior de la espalda.

DOLORES MECANICOS

Esta sección sobre los dolores mecánicos es muy importante y, si la comprende, habrá avanzado más de la mitad del camino hacia la resolución de sus problemas.

Los dolores de origen mecánico tienen lugar cuando la juntura entre dos huesos se sitúa en una posición de tensión excesiva de los tejidos blandos circundantes. Esto es cierto en el caso de los dolores mecánicos de cualquier juntura del cuerpo, incluyendo la columna vertebral. Como ayuda para comprender con qué facilidad se pueden producir ciertos dolores mecánicos, bastará que intente un experimento sencillo.

Primeramente, dóblese un dedo hacia atrás, como se muestra en la figura 2:6. Doble el dedo hasta que sienta un **tirón**. Si hace que el dedo permanezca en esta posición tensa, sentirá primeramente una molestia menor; pero conforme pase el tiempo, se desarrollará **eventualmente** un dolor. En algunos casos, el dolor provocado por la tensión prolongada puede requerir hasta una hora para presentarse.

Intente el experimento una vez más; pero ahora mantenga doblado el dedo más allá del punto de **tensión** hasta que sienta **dolor**. La sensación de dolor es **inmediata**. Habrá producido una sobretensión y su sistema de advertencia del dolor le indica que, si sigue adelante con ese movimiento en esa dirección, causará **daños**.

Figura 2:6

En caso de que pase por alto la advertencia y siga ejerciendo la tensión excesiva, se producirá realmente un **daño**. Por supuesto, la advertencia del dolor le indica que debe dejar de ejercer la tensión y, cuando lo haga, su dolor cesará inmediatamente. Su dedo no habrá sufrido daños y el dolor mecánico habrá desaparecido. No se presentarán problemas duraderos debido a esta tensión de corta duración, a condición de que se tome en cuenta el sistema de advertencia del dolor.

DOLOR MECANICO EN LA BAJA ESPALDA

Si un ingeniero examinara la zona de la espalda que está más sujeta a tensiones mecánicas, llegaría a la conclusión de que la mayor parte de los esfuerzos se deben ejercer sobre la parte de la columna situada inmediatamente por encima de su unión con la pelvis. Esta conclusión es correcta, ya que las estadísticas demuestran que los problemas de espalda se presentan con mayor frecuencia en la parte inferior que en cualquier otra de la columna vertebral.

El dolor de la baja espalda no se debe a corrientes de aire, enfriamientos o el clima. Se solía creer que estos fenómenos relacionados con la meteorología eran responsables de los dolores de espalda y cuello. Hoy en día comprendemos las cosas mejor y la mayoría de los especialistas están de acuerdo en que la mayoría de los dolores de espalda se deben a tensiones mecánicas, similares a las que se describieron en la sección anterior.

A menudo se considera que el dolor en la baja espalda se debe a músculos tensos. Los músculos, que son la fuente de poder y la causa del movimiento, pueden lesionarse o esforzarse en exceso. Esto requiere una cantidad considerable de fuerza y no sucede a menudo. Además, los músculos se suelen curar con mucha rapidez y es raro que provoquen un dolor que dure más de una o dos semanas. Por otra parte, siempre que los efectos de la fuerza dañina sean lo suficientemente graves como para afectar los músculos, los tejidos blandos subyacentes y los ligamentos sufrirán también daños. De hecho, estos tejidos suelen lesionarse mucho antes que los músculos.

La mayor parte de los dolores de la baja espalda se deben a una sobretensión prolongada de los ligamentos y otros tejidos blandos circundantes. El dolor producido por las tensiones excesivas de este tipo es **muy** común y se presenta sobre todo cuando se desarrollan malos hábitos de postura. Siempre que permanecemos en posición relajada, ya sea de pie, sentados o acostados, se producirá con facilidad una sobretensión.

Cuando se presenta el dolor debido a que hemos permitido que nuestra postura se relaje, es realmente culpa nuestra y no tenemos a nadie que culpar, excepto a nosotros mismos. Este tipo de tensión se evita con facilidad y una vez que hayamos sido educados adecuadamente, la prevención del dolor producido de este modo será nuestra responsabilidad.

Sin embargo, el dolor mecánico se puede deber también a tensión excesiva de una intensidad tal que algunos tejidos **se dañen** en realidad. El esfuerzo excesivo que provoca **daños** puede presentarse cuando una fuerza externa ejerce un esfuerzo excesivo sobre la parte inferior de la espalda. Por ejemplo, este tipo de esfuerzo se puede producir debido a una caída mientras juega al tenis o en un deporte de contacto, como el fútbol americano, donde hay fuerzas intensas que se desarrollan cuando se bloquea a los jugadores. Este tipo de lesión no se puede evitar con facilidad, ya que se presenta inesperadamente y toma a las personas por sorpresa.

Cuando los tejidos blandos que circundan una juntura se tensan en exceso, son por lo común los ligamentos los que primeramente producen dolor. Cuando se toma en consideración las junturas de la columna, hay otros factores adicionales, ya que los ligamentos circundantes son también las paredes de retención de los discos blandos que actúan como amortiguadores entre las vértebras. La tensión excesiva de estas, en determinadas circunstancias, afecta a los discos. Esto puede influir de manera considerable o modificar la intensidad del dolor que sufra, su distribución y su comportamiento, que pueden mejorar o empeorar, debido a determinados movimientos o diversas posiciones.

Se presentan complicaciones distintas cuando el ligamento que rodea al disco se daña, hasta el punto de que el disco mismo pierde su capacidad para absorber los choques y su pared externa se debilita. Esto permite que el interior blando del disco sobresalga hacia afuera y, en casos extremos, atraviese el ligamento externo, lo que puede provocar problemas graves. Cuando el disco sobresale lo bastante hacia atrás, puede oprimir dolorosamente el nervio ciático. Eso puede provocar algunos de los dolores u otros síntomas (pérdida de sensibilidad, sensación de hormigueo, debilidad, etc.), que se siente lejos del punto real de origen del malestar como, por ejemplo, en el pie o la parte inferior de la pierna.

Debido a la proyección hacia el exterior, el disco se puede distorsionar considerablemente e impedir que las vértebras se alineen adecuadamente durante los movimientos. En este caso, ciertos movimientos se verán bloqueados parcial o completamente y, al forzarlos, se puede causar un dolor intenso. Esta es la razón por la que algunas personas se ven forzadas a mantener su tronco en una posición desalineada. Quienes experimentan un ataque repentino de dolor y, después de éste, se sienten incapaces de desplazarse o mover la espalda de modo adecuado, pueden tener cierta protuberancia del material blando del disco. Esto no tiene que ser causa de alarma. Los ejercicios descritos en este libro se diseñaron cuidadosamente para reducir cualquier trastorno de esta naturaleza.

Una vez que los tejidos blandos están dañados, se puede sentir dolor hasta que la curación sea completa. Al sanar, se forma tejido de cicatrización. Este último es menos elástico que los tejidos normales y tiende a acortarse, si puede hacerlo. En el caso de que se produzca un acortamiento, el movimiento puede estirar las cicatrices y producir dolor. Excepto cuando se realicen los ejercicios apropiados para restaurar la flexibilidad normal, el tejido curado puede convertirse en una fuente continua de dolor de espalda y rigidez, que puede durar muchos años, en ciertos casos. De hecho, la lesión original ha concluido y es la cicatriz la que provoca el dolor continuo.

Sitios comunes de dolor debidos a trastornos de la parte inferior de la espalda.

Figura 2:7　　　　　　　　*Figura 2:8*　　　　　　　　*Figura 2:9*

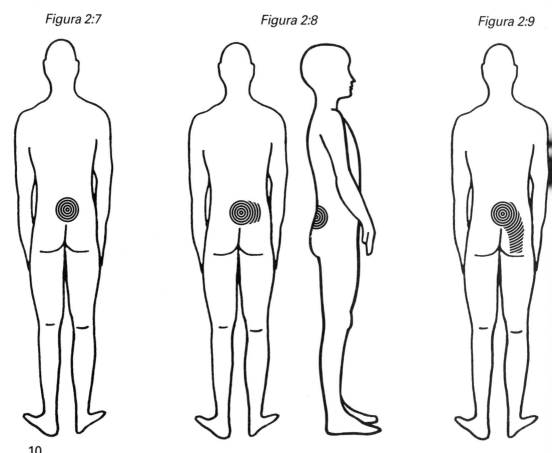

¿DONDE SE SIENTE EL DOLOR?

Los sitios en que se produce dolor, debido a problemas de la baja espalda, varían de unas personas a otras. En el primer ataque, el dolor se siente por lo común en el centro de la espalda, — en la línea del cinturón o cerca de ella *(figura 2:7)* o a un lado *(figura 2:8)* y, en general, cede al cabo de unos cuantos días. En ataques subsiguientes, el dolor se puede extender a la región glútea *(figura 2:9)* y posteriormente todavía en la espalda o fuera del muslo hasta la rodilla *(figura 2:10)*, o bien, por debajo de la rodilla, hasta el tobillo o el pie *(figura 2:11)*. Con menos frecuencia, el dolor se siente también en la parte frontal del muslo y hasta la rodilla *(figura 2:12)*.

El dolor puede variar con el movimiento o la postura: la intensidad del dolor puede cambiar o el sitio donde duele puede desplazarse — por ejemplo, un movimiento puede causar dolor en la región glútea, mientras que otro puede hacer que abandone esta última y aparezca en la baja espalda.

Si tiene un problema muy grave, además del dolor en la baja espalda, podrá experimentar una pérdida considerable de la sensibilidad o debilidad muscular en la pierna inferior.

Figura 2:10 *Figura 2:11* *Figura 2:12*

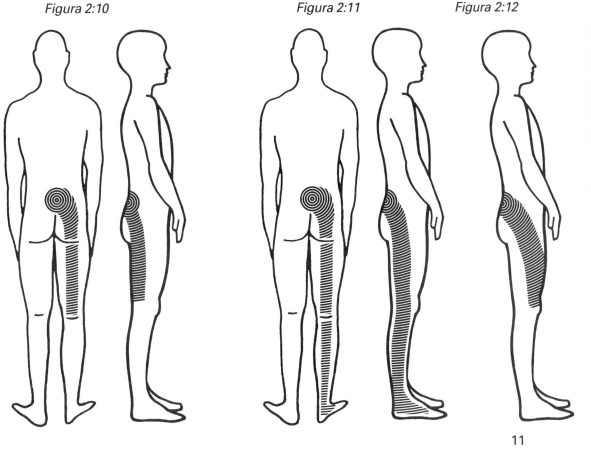

¿QUIEN PUEDE AUTOTRATARSE?

La mayoría de las personas obtendrán beneficios por los consejos que se dan en este libro. Casi todos pueden comenzar el programa de ejercicios, a condición de que tomen las precauciones recomendadas. Una vez que haya iniciado los ejercicios, observe con cuidado su patrón de dolores. Si estos últimos empeoran en forma progresiva y permanecen en mal estado al día siguiente, deberá dejar de hacer los ejercicios y pedirles asesoramiento a su doctor o su terapeuta manipulativo.

En cualquiera de las situaciones que siguen, no deberá iniciar el programa de ejercicios sin consultar primeramente a su doctor o terapeuta manipulativo:

Si tiene un dolor intenso en la pierna, por debajo de la rodilla y experimenta sensaciones de debilidad, falta de sensibilidad, alfilerazos o pinchazos en los pies o los dedos de los pies.

Si ha desarrollado problemas en la parte inferior de la espalda, después de algún accidente grave reciente.

Si después de un dolor reciente e intenso en la baja espalda, tiene problemas en la vejiga.

Si se siente en general no muy bien, al mismo tiempo que tiene su ataque de dolor en la parte inferior de la espalda.

Para ayudarle a determinar si puede tratar con éxito su dolor en la baja espalda, sin recibir ayuda, debe responder a las preguntas que siguen:

¿Hay momentos durante el día en los que no tiene dolor? ¿Aunque sólo sea durante diez minutos?

¿Se limita el dolor a zonas situadas por encima de la rodilla?

¿Se siente en general peor al permanecer sentado durante periodos prolongados o al levantarse de una posición sentada?

¿Se siente en general peor durante inclinaciones o flexiones prolongadas, como por ejemplo al hacer las camas, pasar la aspiradora, planchar, trabajar en el jardín o en labores de albañilería?

¿Se siente en general peor al levantarse por la mañana; pero mejora después de aproximadamente media hora?

¿Está en general peor cuando permanece inactivo y mejor cuando se mueve?

¿Está normalmente mejor al caminar?

¿Está por lo común mejor al permanecer tendido boca abajo? Al probar esto, puede sentirse peor durante los primeros minutos, después de lo cual el dolor disminuirá: en este caso, la respuesta a la pregunta es afirmativa.

¿Ha tenido diversos casos de dolor en la parte inferior de la espalda, en el curso de los últimos meses o años?

Si ha respondido que sí a todas las preguntas será un candidato ideal para el programa de autotratamiento que se bosqueja en este libro.

Si su contestación fue afirmativa a cuatro o más preguntas, sus probabilidades de obtener beneficios mediante el autotratamiento serán buenas y debería iniciar el programa.

Si ha respondido que sí a sólo tres o menos preguntas, puede que necesite algún tipo de tratamiento especializado y debería consultar a su médico o su terapeuta manipulativo. Esto no quiere decir necesariamente que los procedimientos recomendados en este libro no sean aplicables en el futuro. Por lo común indica que, por el momento, la distorsión de la juntura afectada es demasiado grande para poderse reducir eficazmente tan sólo mediante un autotratamiento. En una etapa posterior, una vez que el dolor intenso o agudo se haya reducido, se le aconsejará que comience con cuidado el programa de ejercicios.

CAPITULO 3

CAUSAS COMUNES DEL DOLOR EN LA BAJA ESPALDA

CAUSAS DE POSTURA

La causa más común de dolor en la parte inferior de la espalda es la tensión de las posturas. Este dolor de la parte inferior de la espalda se debe, con frecuencia, al hecho de permanecer sentado durante mucho tiempo en una mala postura *(figura 3:1),* a la flexión prolongada en posiciones de trabajo poco aconsejables *(figura 3:2),* al levantamiento de pesos grandes *(figura 3:3)* y al hecho de permanecer de pie *(figura 3:4)* y acostado *(figura 3:5)* durante un periodo prolongado, en una mala postura. Cuando examine con cuidado estas fotografías, verá que la parte inferior de la espalda está redondeada y la lordosis ha desaparecido.

Figura Malas postur. sentad

Figura 3:2
Malas
condiciones
de trabajo.

14

Figura 3:3
Malas técnicas de
levantamiento de
pesos.

Figura 3:4
Mala postura de pie.

Lamentablemente, muchas personas pierden su lordosis gran parte del tiempo y es raro que la aumenten a su máximo. Si reducen la lordosis durante periodos prolongados, de año en año, sin restaurarla de manera apropiada, perderán al fin la capacidad para formar ese hueco. Es bien sabido que una baja espalda plana se asocia a menudo a los problemas crónicos de la parte inferior de la espalda.

Figura 3:5
Malas posturas
acostadas.

La mayor parte de las personas tienen naturalmente una lordosis en la parte inferior de la espalda cuando caminan o corren y esas actividades contribuyen a menudo a aliviar el dolor en la baja espalda. Cuando permanecen de pie, la lordosis está naturalmente presente; pero en algunos individuos, cuando se mantiene la posición de pie durante un periodo prolongado, la lordosis puede hacerse excesiva y se producirá dolor de naturaleza distinta que el que ocurre durante las flexiones prolongadas.

De entre todas estas tensiones de posturas, la mala posición sentada es, de lejos, la que más daños suele causar. Una mala postura sentada puede producir por sí misma dolor en la baja espalda. Una vez que se hayan desarrollado problemas de este tipo, una mala postura sentada perpetuará o hará que empeoren esos problemas.

Las malas posturas en pie y acostado son también causas frecuentes de dolor de espalda. Es posible que haya descubierto ya que su dolor de espalda se presenta sólo si permanece de pie durante periodos prolongados o después de que se acueste en la cama. El dolor que se comporta de este modo se debe a menudo tan sólo a la mala postura. Si es así, se puede corregir con facilidad.

El tema primordial de este capítulo es el de que el dolor de origen de postura no se producirá, si se evitan las sobretensiones prolongadas. En caso de que se desarrolle dolor, se tratará casi de una indicación segura de que ha caído en una mala postura y se deberán tomar medidas inmediatas para corregirla. No deberá tener que buscar ayuda siempre que se presente un dolor debido a la postura.

CONSECUENCIAS DEL DESCUIDO DE LA POSTURA

Algunas personas que adoptan habitualmente malas posturas y no están conscientes de la causa subyacente, experimentan dolor en la espalda durante toda su vida, simplemente porque no se encuentran en posesión de la información necesaria para corregir las fallas de postura.

Cuando se sienten por primera vez los dolores de origen de postura, se pueden eliminar con facilidad con sólo corregir la posición. Sin embargo, a medida que pasa el tiempo, si no se corrige la mala postura habitual, se producen cambios en la estructura de las junturas, tiene lugar un desgaste excesivo y la consecuencia es un envejecimiento prematuro de dichas junturas. Los efectos a largo plazo de una mala postura pueden ser tan intensos y dañinos como los de la lesión.

Quienes permitimos que perdure una mala postura durante toda nuestra vida *(figura 3:5a)*, nos inclinamos y doblamos hacia adelante cuando se presenta el envejecimiento. Cuando se nos pide que nos enderecemos y permanezcamos bien derechos, no podemos hacerlo. Cuando se nos pide que volvamos la cabeza, somos incapaces de obedecer. Nuestra movilidad está ya tan dañada que los demás nos consideran afectados por los procesos normales del envejecimiento.

Las deformidades en los ancianos son los efectos visibles de los malos hábitos de postura. Se producen consecuencias secundarias, a veces graves, cuando esos efectos se transmiten a los órganos de nuestro cuerpo: Los pulmones se ven comprimidos y nuestra respiración sufre, a medida que la espalda se va doblando. El vientre y otros órganos internos se ven privados de su apoyo correcto y pueden verse afectados de modo adverso.

Considero que la posición inclinada y doblada hacia adelante, que muchos consideran que es una de las consecuencias inevitables del envejecimiento, no es inevitable en absoluto y el momento de comenzar a tomar medidas preventivas es ahora mismo. Si tan solo una vez al día permanecemos totalmente erectos y nos doblamos completamente hacia atrás, no necesitaremos perder nunca la capacidad de realizar esta acción y, por consiguiente, nunca tendremos que doblarnos, flexionarnos o sufrir daños de muchos modos distintos.

Figura 3:5(a)

17

1. Sentado durante periodos prolongados

La mayoría de las personas que permanecen sentadas durante periodos prolongados adoptarán eventualmente una mala postura. Cuando nos sentamos en determinada posición durante unos cuantos minutos, los músculos que sostienen nuestra baja espalda se cansan y relajan. Nuestro cuerpo se hunde y esto da como resultado la posición sentada inclinada *(figura 3:1)*.

Si mantenemos una posición sentada inclinada durante suficiente tiempo, provocará una sobretensión de los ligamentos. Así, se producirá dolor cuando hayamos estado sentados en **ciertas posiciones durante periodos prolongados**. Una vez que la postura sentada inclinada hacia adelante se haya convertido en hábito y se mantenga la mayor parte del tiempo, provocará también una distorsión de los discos contenidos en las junturas vertebrales. Una vez que esto tiene lugar, **los movimientos y las posturas** producirán dolor.

De todo esto se desprende que las personas con empleos sedentarios de oficina desarrollan con facilidad problemas en la baja espalda, ya que permanecen a menudo sentados durante muchas horas, con la espalda redondeada. Si es usted trabajador sedentario, podrá pasar por las siguientes etapas de problemas gradualmente crecientes de la espalda, a menos que siga los consejos sobre posturas que se dan en este libro. Al principio, es posible que experimenten sólo incomodidad en la parte inferior de la espalda, mientras permanecen sentados durante un periodo prolongado, o bien, al levantarse de la posición sentada. En este caso, el dolor se debe a la tensión excesiva de los tejidos blandos y se requieren unos cuantos segundos para que estos últimos se recuperen. En una etapa posterior, descubrirá que, al ponerse de pie, tendrá más dolor y deberá caminar inclinado durante una distancia corta, antes de poder enderezarse por completo. Ahora es probable que se haya producido alguna distorsión en uno de los discos lumbares: el permanecer sentado durante periodos prolongados ha causado una distorsión menor del disco afectado que necesita unos cuantos minutos para recuperarse. Finalmente, puede llegar a la etapa en la que experimente un dolor intenso o intolerable al ponerse de pie y que no pueda enderezarse en absoluto. En este caso, se habrá producido una distorsión importante del disco afectado que no podrá recuperar su forma normal con suficiente rapidez para permitir que el movimiento se haga sin dolor. Siempre que se intente un movimiento, la protuberancia del disco hará aumentar la tensión de los tejidos circundantes, ya de por sí demasiado tensos, provocando un dolor intenso en la parte inferior de la espalda. Además, la protuberancia del disco puede pellizcar el nervio ciático, lo que puede provocar dolor y otros síntomas en la pierna.

FACTORES AMBIENTALES

El diseño de los asientos en los transportes, comerciales y domésticos, fomenta los malos hábitos de posturas. Es raro que las sillas disponibles proporcionen un respaldo adecuado para la parte inferior de la espalda y, a menos que se haga un esfuerzo consciente para sentarse de modo correcto, nos vemos forzados a permanecer en mala posición *(figura 3:6)*.

Figura 3:6

Asiento mal diseñado

De modo ideal, el respaldo de todas las sillas debe proporcionar un soporte lumbar de tal modo que la lordosis, presente de modo natural durante la postura de pie, se mantenga también al permanecer sentado *(figura 3:7)*. Por desgracia, es raro que se incluya este soporte. Es igualmente importante que los muebles de oficinas y fábricas se adapten a los requisitos individuales. Por ejemplo, si es un trabajador de escritorio, deberá asegurarse de que el respaldo de su silla tenga la altura correcta. Mientras está sentado, sus pies deberán permanecer planos en el piso y sus muslos tendrán que encontrarse horizontales, sin oprimir sobre el asiento. El escritorio mismo deberá estar también a la altura correcta; si la superficie sobre la que se inclina es demasiado baja, se flexionará hacia adelante y perderá la lordosis. Finalmente, los soportes para brazos deberán colocarse de tal modo que, al usarlos, sus hombros no se eleven ni desciendan de modo incorrecto. Los apoyos de los brazos deberán permitir también que su silla pase bajo el escritorio, de tal modo que pueda sentarse con el vientre apoyado suavemente en el frente del escritorio. Esto impedirá que se incline hacia adelante y pierda la lordosis mientras realiza tareas en el escritorio. Seguiremos sufriendo el descui-

Figura 3:7

Silla bien diseñada para mecanógrafo o secretario.

Silla bien diseñada para conductor de autobús.

Sillón bien diseñado.

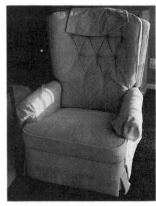

do de los diseñadores de muebles, hasta que comprendan las necesidades de la estructura humana y trabajen en consecuencia.

Aun cuando el mal diseño de los muebles contribuye al desarrollo de dolores en la baja espalda, se debe culpar también de modo similar a la persona que use la silla incorrectamente. Si no sabemos sentarnos correctamente, ni siquiera las sillas mejor diseñadas podrán impedir que nos repantiguemos. Por otra parte, una vez que se nos den instrucciones y se instauren los conceptos correctos, las sillas mal diseñadas no tendrán tantos efectos perjudiciales sobre nuestra postura sentada.

POSICION SENTADA CORRECTA DURANTE PERIODOS PROLONGADOS

Si en la actualidad tiene dolor como resultado de factores distintos a la mala postura, es posible que necesite realizar ejercicios especiales, además de la corrección de la postura misma. En esta sección, voy a describir solamente los ejercicios necesarios para reducir las tensiones de posturas y obtener la corrección de las posiciones. Los ejercicios de tratamiento para alivio del dolor y aumento de las funciones se presentarán en el capítulo que sigue.

Si en la actualidad no tiene dolor y para **evitar que se desarrolle un dolor en la baja espalda,** debido a una mala postura sentada prolongada, es necesario: (1) sentarse correctamente y (2) interrumpir a intervalos regulares la posición sentada prolongada.

CORRECCION DE LA POSTURA SENTADA

A partir de ahora deberá prestar mucha atención a su postura sentada. Es posible que haya tenido el hábito de sentarse inclinado hacia adelante durante muchos años, sin tener dolor en la baja espalda; pero una vez que se hayan desarrollado este tipo de problemas, ya no podrá sentarse como lo hacía. La postura inclinada hacia adelante perpetuará tan sólo la tensión excesiva y las distorsiones dentro de la junturas.

Para poder sentarse correctamente, deberá aprender primeramente **a formar una lordosis** en la parte inferior de la espalda, mientras está sentado. Por consiguiente, deberá familiarizarse plenamente con el procedimiento de corrección excesiva de la inclinación hacia adelante. Una vez que haya logrado esto, deberá aprender **a mantener una lordosis** en la parte inferior de la espalda, mientras permanezca sentado durante periodos prolongados.

COMO FORMAR UNA LORDOSIS

Deberá sentarse en un taburete de la altura de una silla, o bien, en forma lateral, sobre una silla de cocina. Déjese ir hacia el frente completamente *(figura 3:8)*. Ahora estará listo para comenzar el procedimiento de corrección excesiva de la inclinación hacia adelante.

Después de relajarse durante unos cuantos segundos en la posición inclinada, deberá elevarse y acentuar la lordosis tanto como sea posible *(figura 3:9)*. Este es el extremo de la buena posición sentada. Después de mantenerse en esta posición durante unos cuantos segundos, deberá volver a la de relajamiento completo *(figura 3:8)*. El movimiento de la posición inclinada hacia adelante hasta la posición sentada vertical, deberá realizarse de tal modo que se mueva rítmicamente del extremo malo al bueno de la postura sentada. El ejercicio se debe realizar de 10 a 15 veces por sesión y las tandas se repetirán tres veces al día, de preferencia por la mañana, al mediodía y a la noche. Además, deberá hacer este ejercicio siempre que se presente dolor debido a una mala posición sentada. Cada vez que repita este ciclo de movimientos tendrá que asegurarse de que se realicen **hasta el grado máximo posible, sobre todo hacia el extremo de la posición buena.**

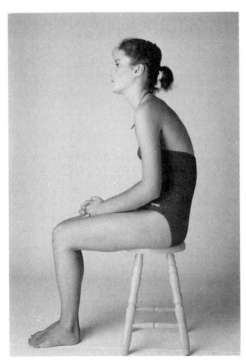

Figura 3:8
Extremo de posición sentada hundida.

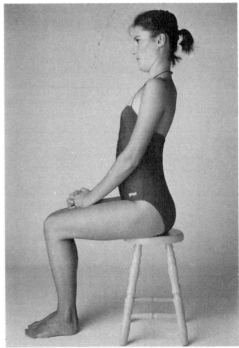

Figura 3:9
Extremo de buena postura sentada.

22

MANTENIMIENTO DE LA LORDOSIS

Acaba de aprender a encontrar el **extremo de la buena postura sentada.** No es posible permanecer sentado de este modo durante periodos largos, ya que se trata de una posición de tensión considerable y, si se mantiene durante periodos excesivos, puede causar dolor en realidad. Para sentarse con comodidad y de modo correcto, es preciso hacerlo a poca distancia del extremo de buena postura. Para encontrar esta posición, se debe sentar primeramente con la parte inferior de su espalda en lordosis extrema *(figura 3:9)* y, luego, liberar el último 10% de la tensión de lordosis, teniendo cuidado de asegurarse de no permitir que se aplane la parte inferior de la espalda *(figura 3:10)*. Ahora habrá llegado a la postura sentada correcta que se puede mantener durante cualquier periodo. Al sentarse de este modo se mantiene la lordosis en la parte inferior de la espalda, con su propio esfuerzo muscular; se requiere una atención constante y un esfuerzo continuo, por lo que no es posible relajarse por completo. Siempre que se siente en una silla **sin respaldo,** deberá hacerlo de este modo.

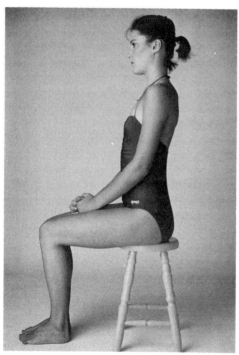

Figura 3:10
Extremo de buena postura sentada —
la menor tensión crea una postura
sentada correcta.

Figura 3:11
Rodillo lumbar

EL RODILLO LUMBAR

Los principios de posición sentada correcta se deben aplicar al sentarse en una silla **con respaldo** (asiento soportado). Para facilitar el mantenimiento de una lordosis correcta y una buena posición, es esencial un apoyo lumbar adecuado. Si las sillas que está utilizando no proporcionan un soporte adecuado, deberá usar un rodillo lumbar. Este último es un soporte diseñado especialmente para la parte inferior de la espalda *(figura 3:11)*. Sin este soporte, la parte inferior de la espalda se inclinará hacia adelante siempre que se distraiga o deje de concentrarse en algo que no sea el mantenimiento activo de la lordosis con sus propios músculos — por ejemplo, al hablar, leer, escribir, ver la televisión o manejar su automóvil. Para contrarrestar esta inclinación hacia adelante, deberá colocar un rodillo lumbar en la parte más angosta de su espalda, al nivel del cinturón, siempre que se siente en un sillón *(figura 3:12)*, el automóvil *(figura 3:13)* o una silla de oficina *(figura 3:14)*.

Figura 3:12
Uso del rodillo
lumbar para corregir
el mal diseño.

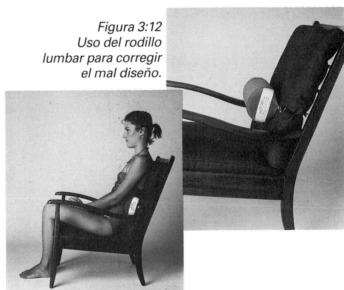

24

El rodillo lumbar no debería tener más de 10-13 cm (4 a 5 pulgadas) de diámetro, antes de comprimirse y debería estar lleno de espuma, en forma moderada, de tal modo que, bajo compresión, su diámetro se reduzca a aproximadamente 4 cm (una pulgada y media). Un cojín no sirve para la misma finalidad, puesto que tiene una forma incorrecta y no proporciona una presión adecuada en el nivel preciso de la baja espalda. No es posible basarse en un cojín regular para uso a largo plazo; pero puede dar cierta ayuda en casos de urgencia.

La finalidad de esta parte del programa es restaurar primeramente la postura correcta y, a continuación, mantenerla. Puede necesitarse hasta una semana de práctica para dominar esto plenamente. Por regla general, el dolor de origen de postura disminuirá a medida que mejore su posición sentada y no tendrá dolor una vez que mantenga la postura correcta. El dolor volverá con facilidad durante las primeras semanas, en el caso de que se incline hacia adelante mientras permanece sentado. Eventualmente, se liberará totalmente del dolor, aun cuando se olvide de su postura; sin embargo, no deberá permitirse nunca más sentarse con inclinación hacia adelante durante periodos prolongados.

Al iniciar por primera vez estos procedimientos para corregir la postura sentada, experimentará ciertos dolores nuevos. Son distintos del original y pueden sentirse en otros sitios. Los nuevos dolores son el resultado de la realización de nuevos ejercicios y el mantenimiento de nuevas posiciones, deben esperarse y desaparecerán al cabo de unos cuantos días, a condición de que prosiga la corrección de la postura sobre bases regulares. Una vez que

Figura 3:13

Figura 3:14(a)

Figura 3:14(b)

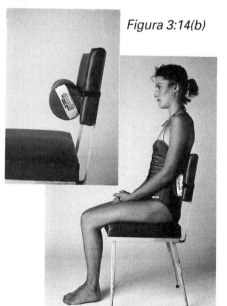

Uso de un rodillo lumbar para corregir el mal diseño. 25

se haya acostumbrado a sentarse correctamente, lo disfrutará y observará muy pronto una reducción o una ausencia de dolor y más comodidad. A partir de ese punto, escogerá automáticamente sillas que le permitan sentarse correctamente.

> **REGLA:** *Al sentarse durante periodos prolongados, deberá hacerlo correctamente, con la parte inferior de la espalda en una lordosis moderada. Siempre que el asiento tenga un respaldo, deberá utilizar un rodillo lumbar como soporte de la baja espalda.*

INTERRUPCION REGULAR DE LA POSICION SENTADA PROLONGADA

Al recorrer largas distancias en autobús, automóvil o avión, y sobre todo al sentarse en un asiento restringido y sin interrupciones regulares que permitan restaurar la lordosis, podrá sufrir un ataque repentino de dolor en la baja espalda o una agravación de los problemas existentes. Casi todos notaremos cierta rigidez o incomodidad en la baja espalda, después de ir en automóvil en forma ininterrumpida durante varias horas seguidas. Si tiene ya problemas en la espalda, ese tipo de viaje puede ser una situación peligrosa para usted. Si es el conductor, el riesgo será todavía mayor.

Con el fin de minimizar los peligros de la posición sentada prolongada, es necesario que interrumpa el sentarse a intervalos regulares y **antes de que comience el dolor.** Deberá ponerse en pie e inclinarse hacia atrás cinco o seis veces (vea el ejercicio 4) y caminar unos cuantos minutos. Esto reducirá la presión dentro de los discos y aliviará las tensiones de los tejidos circundantes. Las medidas simples le permitirán evitar la distorsión de las junturas de la baja espalda, con el fin de que no se produzca dolor.

> **REGLA:** *Al sentarse durante periodos prolongados, es esencial una interrupción regular de la postura sentada para impedir que comience el dolor. Esto se puede lograr, permaneciendo en pie bien erecto, echándose hacia atrás cuatro o cinco veces y caminando unos cuantos minutos (vea el ejercicio 4).*

2. Cómo trabajar en posiciones inclinadas

Al permanecer en pie con la espalda recta, las tensiones en los discos y los ligamentos de la parte inferior de la espalda son considerablemente menores que cuando permanezca con la espalda doblada hacia adelante. Muchas actividades en el hogar pueden hacer que se incline — por ejemplo, los trabajos del jardín, el pasar la aspiradora, el hacer las camas, etc. *(figura 3:15)*. Las ocupaciones que requieren posturas inclinadas en forma prolongada son muy numerosas: los trabajadores de líneas de montaje, los albañiles ladrilleros, los electricistas, los plomeros o fontaneros, los carpinteros, los cirujanos, las enfermeras —y la lista puede continuar— tienen que inclinarse hacia adelante durante periodos prolongados cada día *(figura 3:16)*. Mientras trabaje en esas posiciones inclinadas, tendrá mayores probabilidades de sufrir problemas de espalda **en las primeras cuatro o cinco horas del día**.

Figura 3:15

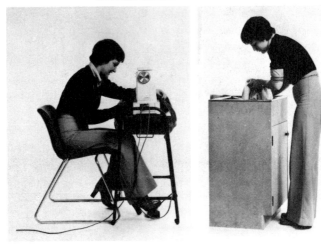

27

Figura 3:16

28

Para minimizar los riesgos implícitos en la flexión prolongada hacia adelante, deberá interrumpir esa postura a intervalos regulares **antes de que comience el dolor.** Tendrá que permanecer de pie bien erecto y doblarse hacia atrás cinco o seis veces (vea el ejercicio 4). Esto es muy importante si ha desarrollado ya problemas en su baja espalda, debido al trabajo en posición inclinada. La interrupción regular de la postura inclinada corregirá cualquier distorsión que pueda presentarse en los discos y aliviará las tensiones de los discos circundantes. Al hacer esto **antes de que comience el dolor,** se evita por lo común el desarrollo de un dolor intenso en la baja espalda y **recuerde que corre un riesgo especial durante la primera mitad del día,** por lo que convendrá que se asegure siempre de hacer todo correctamente durante este periodo.

REGLA: *Al trabajar en una posición inclinada, la interrupción regular de la postura de flexión es esencial para evitar que comience el dolor. Esto se puede lograr, permaneciendo de pie, bien erecto, y doblándose hacia atrás cinco o seis veces (vea el ejercicio 4).*

---

3. Levantamiento de pesos

Se ha descubierto que el levantamiento de objetos con la espalda redondeada *(figura 3:17)* hace aumentar la presión en los discos hasta un nivel mucho más elevado que el que existe cuando el peso se sostiene con el cuerpo bien erecto y la lordosis presente. En la misma forma en que los problemas de espalda que se asocian a la flexión parecen presentarse con mucha frecuencia en las primeras cuatro o cinco horas del día, ocurre lo mismo con el levantamiento de pesos, sobre todo si los levanta repetidamente y con frecuencia. Si usa una técnica incorrecta de levantamiento, al elevar objetos pesados, podrá causar daños y, por supuesto, tener un dolor intenso repentino.

Con el fin de minimizar los riesgos implícitos en el levantamiento, debería utilizar siempre la técnica correcta *(figura 3:17a)*. Debe permanecer de pie, bien erecto y doblarse hacia atrás cinco o seis veces inmediatamente antes y después del levantamiento, sobre todo cuando se trate de un simple objeto pesado que se eleve una sola vez. Si hay muchos objetos que levantar, deberá interrumpir con frecuencia ese trabajo y repetir el ejercicio de flexión hacia atrás. Permaneciendo bien erecto y doblándose hacia atrás antes del levantamiento, se asegurará de que no se encuentre presente ninguna distorsión en las junturas de la baja espalda, mientras eleva el peso. Esto resulta particularmente importante si tiene una posición inclinada hacia adelante, o bien, si ha permanecido sentado durante un periodo prolongado, inmediatamente antes de iniciar el levantamiento. Por ejemplo, muchos conductores de camiones, después de manejar el vehículo durante periodos prolongados, tienen que retirar objetos pesados de la parte posterior de su vehículo. El sacar maletas pesadas de la parte posterior y el portaequipajes del automóvil, inmediatamente después de un viaje largo, es otro buen ejemplo de esta situación de riesgo elevado. Si se permanece de pie bien erecto y se dobla hacia atrás unas cuantas veces **antes y después del levantamiento**, se podrá corregir cualquier distorsión que se haya desarrollado en las junturas como resultado del levantamiento.

Figura 3:17
Mala técnica de levantamiento

Si en la actualidad está sufriendo un dolor en la baja espalda, sobre todo cuando esto se deba al levantamiento de pesos, será mejor evitar completamente ese tipo de levantamiento durante unas cuantas semanas, con el fin de que se produzca una curación de los tejidos dañados. En caso de que esto no resulte posible, deberá utilizar en todo momento la técnica correcta de levantamiento y evitar elevar objetos que sean difíciles manejar y que pesen más de 15 kilogramos (30 libras).

Una vez que haya desarrollado problemas repetitivos de la baja espalda, sólo no debería volver a manejar nunca objetos difíciles de sujetar o pesados, aun cuando esté totalmente libre de dolor en el momento del levantamiento. Además, debería familiarizarse con la técnica correcta de levantamiento. Después de cierta práctica, la elevación correcta se hará habitual.

Figura 3:17(a)
Técnica correcta para levantar pesos

TECNICA CORRECTA PARA LEVANTAR PESOS

Durante todo el levantamiento, deberá tratar de mantener el hueco en su baja espalda *(figura 3:17a)*. El levantamiento se deberá efectuar al enderezar las piernas. Evite utilizar la espalda como grúa para levantar pesos *(figura 3:17)*.

La técnica correcta de levantamiento incluye lo que sigue:
Permanezca cerca de la carga, afírmese bien sobre los pies y adopte una postura abierta.
Acentúe la lordosis.
Doble sus rodillas para descender hasta la carga y mantenga la espalda recta.
Sujete con seguridad la carga y sosténgala tan cerca de usted como sea posible.
Inclínese hacia atrás para permanecer en equilibrio y levante la carga, enderezando las rodillas.
Haga que sus levantamientos sean constantes, en lugar de a enviones.
Cuando se enderece, dé la vuelta con los pies y evite torcerse la baja espalda.

REGLA: *Al levantar pesos, debería aplicar la técnica correcta. Además, deberá permanecer de pie y doblarse hacia atrás cinco o seis veces inmediatamente antes y después de cada elevación de un objeto pesado, así como también a intervalos regulares durante levantamientos repetidos.*

---

4. Relajamiento después de una actividad vigorosa

Con el paso de los años, he escuchado a muchas personas que se quejan por haber desarrollado dolores de espalda después de dedicarse a actividades pesadas tales como la aplicación de concreto o las tareas de jardinería y es muy fácil atribuir esos dolores a dichas actividades. Sin embargo, sucede con mucha frecuencia que, después de una actividad, nos sentamos y relajamos, desplomándonos con frecuencia en posición hundida, en una silla. Una vez que sintamos el comienzo del dolor, atribuiremos automáticamente la culpa de ello a la actividad que acabamos de terminar. Sin embargo, será preciso que tomemos seriamente en consideración la posibilidad de que el dolor se haya iniciado como resultado de la postura que hemos adoptado. Si la actividad misma fuera responsable de la producción del dolor, sentiríamos cierta incomodidad o dolor en el momento de la sobretensión o la lesión y no una hora después, al permanecer sentados en forma relajada. Las junturas de la columna, después de las actividades, parecen sufrir un proceso de aflojamiento y, si nos situamos a continuación en una postura carente de soporte, durante periodos prolongados, se producirá con facilidad una distorsión dentro de la juntura. **Las junturas bien ejercitadas** de la columna **se distorsionan con facilidad,** si se encuentran en una **posición inclinada hacia adelante durante periodos prolongados.**

REGLA: *Después de una actividad vigorosa, debería restaurar y acentuar la lordosis, permaneciendo en pie y doblándose hacia atrás cinco o seis veces. Cuando se siente para reposarse, deberá mantener la lordosis y usar un rodillo lumbar para evitar desplomarse hacia adelante.*

---

5. Permanencia prolongada de pie

Algunas personas sufren siempre dolor en la baja espalda al permanecer de pie en un sitio durante un periodo prolongado. Tal y como sucede cuando estamos sentados durante mucho tiempo, al permanecer de pie durante periodos prolongados, los músculos que nos soportan se cansan y relajan, permitiéndonos que nos inclinemos hacia adelante. Sin embargo, cuando permanecemos de pie relajados, la lordosis se hace excesiva y la baja espalda queda pendiente en una posición extrema *(figura 3:18)*. Esta es exactamente la posición opuesta a la adoptada por la columna cuando nos sentamos inclinados hacia adelante. No es posible permanecer de pie de este modo durante periodos prolongados, ya que la lordosis excesiva es una posición tensa. Si el dolor de la baja espalda se produce durante periodos prolongados de pie, encontrará alivio al corregir la postura.

Figura 3:18
Posición relajada de pie

CORRECCION DE LA POSTURA DE PIE

Para permanecer correctamente de pie deberá mantener su baja espalda en una posición de lordosis reducida. Para encontrar esta posición, deberá permanecer primeramente de pie, relajado. Permita que el pecho se hunda y que el abdomen sobresalga ligeramente. Esto situará las junturas lumbares inferiores con una lordosis extrema *(figura 3:18)*. A continuación, **reduzca la lordosis, permaneciendo de pie y estirándose a tanta altura como pueda.** Eleve el pecho, tire hacia adentro de los músculos del vientre y apriete los músculos de la región glútea *(figura 3:19)*. Habrá llegado así a la postura correcta de pie. Cuando permanezca de este modo, reducirá la lordosis con su propio esfuerzo muscular. Para comenzar, le resultará difícil mantener esta postura; pero con la práctica puede aprender a permanecer de pie en esta nueva posición durante periodos prolongados, sin incomodidad.

REGLA: *Al permanecer de pie durante periodos prolongados, debe hacerlo correctamente. Estírese a toda su altura. No permita que su espalda se hunda para tomar una lordosis extrema. Enderécese con frecuencia.*

Figura 3:19(a)
Mala posición de pie.
Lordosis excesiva.

Figura 3:19(b)
Postura correcta de pie.

6. Acostado y en reposo

Algunas personas tienen dolor en la baja espalda, cuando permanecen acostadas, reposándose en ciertas posturas. Algunos tienen dolor en la baja espalda sólo cuando se acuestan. Muchos de los que sufren dolor en la baja espalda se sienten peor cuando están acostados y se les hace intolerable el pensar en otra noche con más dolor de espalda y menos sueño.

Si tiene dolor de espalda solamente cuando esté acostado o si se despierta por lo común por la mañana con una baja espalda rígida y adolorida, en la que no tuviera ningún dolor la noche anterior, es probable que la superficie en la que ha estado acostado sea incorrecta, o que haya dormido en una mala postura *(figura 3:20)*. Resulta relativamente fácil corregir la superficie en la que está tendido; pero es bastante difícil influir en la posición que adopta al dormir. Una vez que esté dormido, podrá cambiar regularmente de postura o saltar y darse vueltas. A menos que alguna postura le cause tanta incomodidad que haga que se despierte, no tendrá ninguna idea sobre diversas posturas que adopta al dormir.

Figura 3:20

CORRECCION DE LA SUPERFICIE

Hay dos modos sencillos en los que se pueden reducir las tensiones en la baja espalda debidas a una posición acostada incorrecta.

El primer modo, el más importante, consiste en permanecer tendido, con un rodillo de soporte en torno a la cintura. El rodillo sostendrá la baja espalda al reposarse y evitará las tensiones que se pueden desarrollar cuando permanezca acostado sobre la espalda o de lado. Tome una toalla de playa o baño, dóblela a la mitad, de extremo a extremo y, después, arróllela a partir del costado *(figura 3:21)*. Esto creará un rodillo de aproximadamente 7,5 cm (tres pulgadas) de diámetro y 90 cm (3 pies) de longitud. Póngase el rodillo en torno a la cintura y fíjelo en el frente con un imperdible, para asegurarse de que permanezca en su lugar donde lleva por lo común el cinturón. De otro modo, en caso de que dicho rodillo ascienda y descienda durante su sueño, hará que aumente el dolor durante la noche. Las medidas dadas antes son simplemente una guía. Los soportes lumbares tienen que satisfacer los requisitos individuales y cada persona debe experimentar por sí misma. Podrá seguir la regla general de que, cuando esté tendido de costado, el rodillo deberá llenar el hueco natural del contorno del cuerpo entre la pelvis y la caja torácica *(figura 3:22)* y cuando permanezca acostado de espaldas, el rodillo debería soportar la baja espalda, en una lordosis moderada *(figura 3:23)*.

Figura 3:21

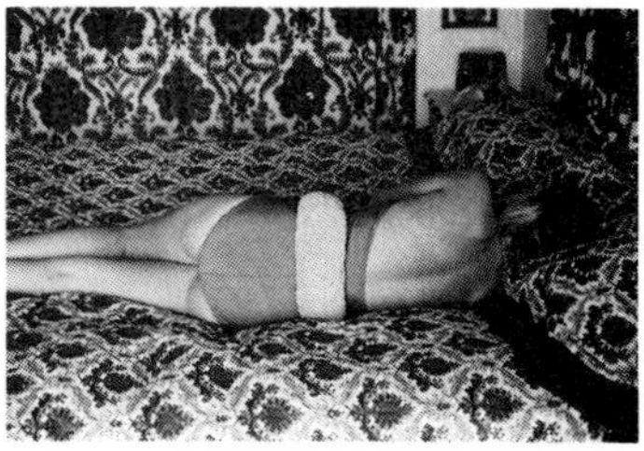

Figura 3:22

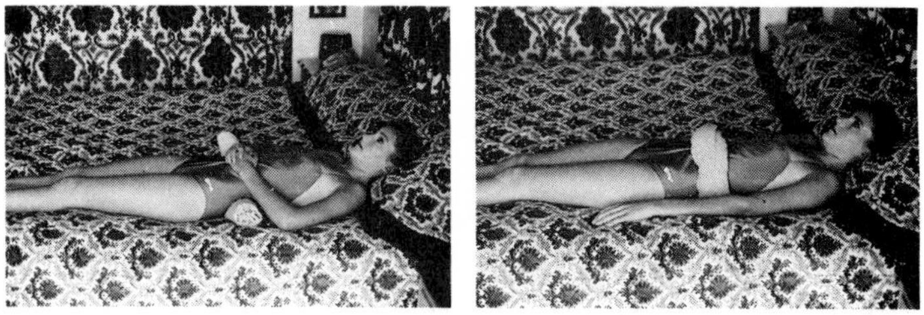

Figura 3:23

El segundo modo consiste en asegurarse de que su colchón no se hunda. El colchón mismo no deberá ser demasiado duro. De hecho, si es blando, resultará extremadamente cómodo, a condición de que se encuentre sobre un soporte firme. Para asegurarse de que su colchón se encuentre sostenido en una superficie dura y firme, lo mejor es ponerlo en el suelo y pasarse tres o cuatro noches durmiendo de ese modo para determinar si esa es la causa del problema. Evite las camas con base de resortes de alambre y utilice en lugar de ello una base sólida, con un colchón de caucho o resortes internos sobre ella.

Si ha probado estas recomendaciones sin obtener beneficios, deberá consultar a su doctor o su terapeuta manipulativo. Es posible que necesite consejos especiales respecto a la superficie en la que permanecerá acostado o la postura que adopte mientras duerme. También es posible que necesite tratamiento especial para los problemas de su baja espalda.

7. Toses y estornudos

El toser y estornudar mientras está doblado hacia adelante o sentado puede provocar un ataque repentino de dolor en la baja espalda o agravar el que ya exista. Si en este momento tiene problemas con la baja espalda, deberá tratar de permanecer bien erecto y doblarse hacia atrás al toser o estornudar. En caso de que no pueda permanecer de pie, cuando menos debería inclinarse hacia atrás y formar la mejor lordosis que sea posible.

CAPITULO 4

EJERCICIOS

LINEAMIENTOS GENERALES Y PRECAUCIONES

El programa consiste en seis ejercicios: los cuatro primeros son de extensión y los dos últimos de flexión. Extensión significa inclinación hacia atrás y flexión, hacia adelante.

La finalidad de los ejercicios es abolir el dolor y, donde sea apropiado, **restaurar las funciones normales** —o sea, recuperar la movilidad total de la baja espalda o tanto movimiento como sea posible en las circunstancias dadas. Al ejercitarse para alivio del dolor, deberá ir hasta el borde de éste último o hasta llegar a él. A continuación, afloje la presión y regrese a la posición de partida; pero cuando se esté ejercitando para recuperar el movimiento perdido o por la rigidez, deberá tratar de obtener la cantidad máxima de movimiento y, para lograr esto, será necesario que vaya bien adentro del dolor.

La corrección de la postura y el mantenimiento de la posición correcta deberán seguir siempre a los ejercicios. Incluso cuando ya no tenga dolor en la baja espalda o durante todo el resto de su vida, los buenos hábitos de postura serán esenciales para evitar que vuelvan a presentarse sus problemas.

MOVIMIENTOS CON DOLOR
Lea esta sección con cuidado

Los ejercicios se diseñaron para afectar rápidamente al dolor. Los efectos pueden ser los de hacer aumentar o disminuir el dolor u ocasionar que cambie de sitio. **Con el fin de determinar si el programa de ejercicios está funcionando bien en su caso, es importante que observe con cuidado los cambios de intensidad o ubicación del dolor.** Puede observar que el dolor, que sentía originalmente en la parte inferior de la espalda, a un lado de la columna, o en la región glútea o el muslo, se desplaza hacia el centro de la baja espalda como resultado de los ejercicios. En otras palabras, **el dolor se localiza o centraliza.**

La centralización del dolor *(figura 4:0)* **que se produce al realizar ejercicios, es una buena señal.** Si el dolor se desplaza hacia la sección central de la columna, alejándose de las zonas donde se siente por lo común, se estará ejercitando correctamente y este programa de ejercicios será el apropiado para usted.

La centralización del dolor es la guía simple más importante para determinar qué ejercicios son correctos para su problema. Los fenómenos de centralización del dolor han recibido validación científica mediante un estudio efectuado en los Estados Unidos que ha demostrado que si el dolor se centraliza al efectuar ejercicios, las probabilidades de recuperación rápida y completa son excelentes. **A la inversa, las actividades o posiciones que hacen que el dolor se aleje de la parte inferior de la espalda y que, quizá, aumenten en la región glútea o la pierna, son actividades incorrectas o posturas inadecuadas.**

Si su dolor en la baja espalda es de tanta intensidad que sólo pueda moverse con dificultad y no le resulte posible encontrar una postura para permanecer acostado con comodidad en la cama, su modo de abordar los ejercicios debería ser cuidadoso y sin apresuramientos.

Al iniciar cualquiera de los ejercicios, podrá experimentar un aumento del dolor. **Este aumento inicial es común y puede esperarse.** Cuando siga ejercitándose, el dolor deberá disminuir rápidamente, al menos hasta llegar a su nivel anterior. **Esto tiene lugar por lo común durante la primera tanda de ejercicios** y, a continuación, deberá seguirle una centralización del dolor. Una vez que éste último ya no se extienda hacia afuera y permanezca tan sólo en la línea mediana, su intensidad disminuirá con rapidez en un periodo de dos a tres días y, en otros tres, desaparecerá por completo.

Figura 4:0 La centralización progresiva del dolor indica lo adecuado del programa de ejercicios.

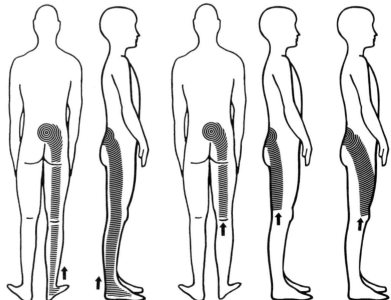

Si después de un aumento inicial del dolor, sigue haciéndose cada vez más intenso o se extiende a lugares más alejados de la columna, deberá dejar de hacer los ejercicios y tratar de obtener asesoramiento. En otras palabras, no siga adelante con ninguno de los ejercicios, **si sus síntomas son mucho peores inmediatamente después de ellos y permanecen en el mismo estado desfavorable al día siguiente,** o bien, si durante el ejercicio los síntomas **se producen o aumentan en la pierna, por debajo de la rodilla.**

Si sus síntomas se han encontrado presentes en forma constante durante muchas semanas o varios meses, no deberá esperar liberarse por completo del dolor en dos o tres días. La respuesta será más lenta; pero, si está efectuando los ejercicios correctos, sólo necesitará de diez a catorce días para que comience el mejoramiento.

Al iniciar este programa de ejercicios, deberá dejar cualesquiera otros que se le hayan mostrado en otro lugar o que realice en forma regular —por ejemplo, para mantenerse en forma o por deporte. Si desea continuar con ejercicios distintos a los que se describen en este libro para los problemas de la baja espalda, deberá esperar hasta que sus dolores hayan cesado por completo.

Podrían desarrollarse nuevos dolores como resultado de la realización de movimientos a los que su cuerpo no se haya habituado y, a condición de que siga adelante con los ejercicios, desaparecerán en un par de días. Siempre he sospechado que, si mis pacientes no se quejan de nuevos dolores en sitios distintos, no se habrán estado ejercitando adecuadamente o no habrán dedicado un esfuerzo suficiente a la corrección de su postura. Esas dos situaciones, los nuevos ejercicios o las nuevas posturas, deberían provocar nuevos dolores, en forma temporal.

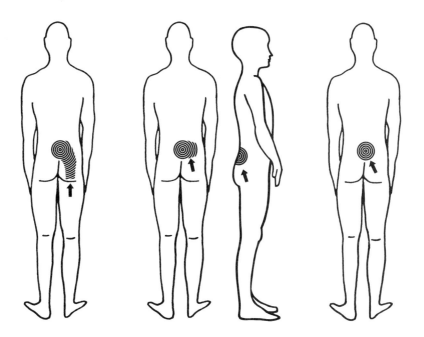

EJERCICIO 1

De cara hacia abajo

Tiéndase de cara hacia abajo con los brazos a los lados del cuerpo y la cabeza hacia uno de los costados *(figura 4:1)*. Permanezca en esta posición, respire hondamente unas cuantas veces y, a continuación, relájese por completo durante cuatro o cinco minutos. Deberá hacer un esfuerzo consciente para eliminar toda la tensión de los músculos de la baja espalda. Sin este relajamiento completo, no habrá probabilidades de eliminar cualquier distorsión que pueda encontrarse presente en la juntura.

Este ejercicio se utiliza primordialmente para el tratamiento del dolor intenso de espalda y es uno de los de *primeros auxilios.* Deberá realizarse una vez al comienzo de cada tanda de ejercicios y las sesiones se distribuirán uniformemente de seis a ocho veces durante el día. Esto quiere decir que debería repetir las tandas aproximadamente cada dos horas. Además, puede permanecer acostado de cara hacia abajo siempre que esté en reposo. Cuando tenga un dolor intenso, deberá evitar sentarse, al menos durante los primeros días.

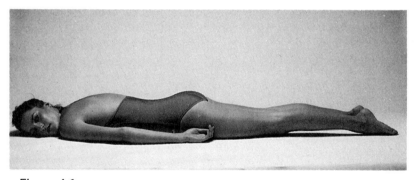

Figura 4:1

EJERCICIO 2

De cara hacia abajo y extensión

Permanezca de cara hacia abajo *(figura 4:2(a)*. Ponga los codos bajo los hombros, de tal modo que se apoye en los antebrazos *(figura 4:2(b)*. Durante este ejercicio (así como también en el 1), debería comenzar mediante unas cuantas respiraciones profundas, para permitir a continuación que se relajen completamente los músculos de su baja espalda. Una vez más, debería permanecer en esta posición durante cerca de cinco minutos.

El ejercicio 2 se utiliza primordialmente para el tratamiento de los dolores intensos de la baja espalda y es uno de los de *primeros auxilios.* Deberá seguir siempre al ejercicio 1 y llevarse a cabo una vez por tanda.

En el caso de que experimente un dolor intenso y creciente al intentar realizar este ejercicio, habrá ciertas medidas que se deberán tomar antes de poder seguir adelante. Esas medidas se analizan en el capítulo que sigue, bajo el encabezado de *¿No hay respuesta ni beneficio?*

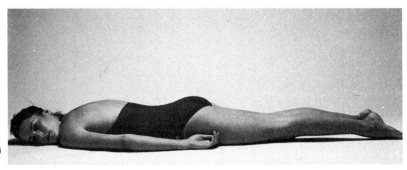

Figura 4:2(a)

Figura 4:2(b)

41

EJERCICIO 3

Extensión en posición acostada

Permanezca de cara hacia abajo *(figura 4:3a).* Ponga las manos bajo los hombros, en la posición de lagartijas *(figura 4:3b).* Ahora estará listo para iniciar el ejercicio 3.

Enderece los codos e impulse la mitad superior de su cuerpo hacia arriba, hasta donde lo permita el dolor *(figura 4:3c).* Es importante que relaje completamente la pelvis, las caderas y las piernas al hacer esto. **Mantenga la pelvis, las caderas y las piernas sueltas y permita que se le hunda la baja espalda.** Una vez que haya mantenido esta posición durante uno o dos segundos, deberá descender hasta la posición de partida. Cada vez que repita este ciclo de movimientos, deberá tratar de llevar la parte superior de su cuerpo un poco más hacia arriba, de tal modo que, al final, la espalda esté extendida tanto como sea posible, con sus brazos todo lo rectos que pueda *(figura 4:3d).* Una vez que sus brazos estén bien derechos, recuerde que debe mantener el hundimiento durante uno o dos segundos, ya que ésta es la parte más importante del ejercicio. El hundimiento se puede mantener durante uno o más segundos, si siente que el dolor se está reduciendo o centralizando.

Este es el procedimiento más útil y eficaz de primeros auxilios para el tratamiento del dolor intenso en la baja espalda. El ejercicio se puede utilizar también para tratar la rigidez en la baja espalda y evitar que el dolor en esa zona se repita, una vez que se haya recuperado por completo. Cuando se utilice en el tratamiento ya sea del dolor o la rigidez, el ejercicio se deberá realizar diez veces por sesión, efectuando las tandas uniformemente seis a ocho veces durante el día.

En caso de que no responda o que tenga un dolor creciente al intentar este ejercicio, habrá ciertas medidas que se deberán tomar antes de poder seguir adelante. Esas medidas se analizan en el siguiente capítulo, bajo el encabezado de "¿No hay respuesta ni beneficio?". Pase ahora a la página 54.

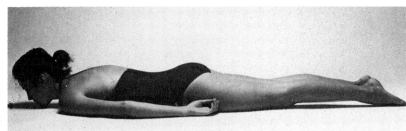

Figura 4:3(a)

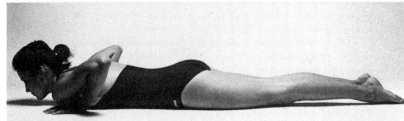

Figura 4:3(b)

Figura 4:3(c)

Figura 4:3(d)

EJERCICIO 4

Extensión en posición de pie

Permanezca erecto, con los pies ligeramente separados. Coloque las manos en el hueco de su espalda, con los dedos apuntando hacia atrás *(figura 4:4a)*. Estará así listo para iniciar el ejercicio 4.

Doble el tronco hacia atrás por la cintura, **hasta donde llegue,** utilizando las manos como pivote *(figura 4:4b)*. Es importante que **mantenga las rodillas derechas,** cuando lo haga. Una vez que haya mantenido esta posición durante uno o dos segundos, deberá regresar a la posición de partida. Cada vez que repita este ciclo de movimientos, deberá tratar de inclinarse hacia atrás un poco más, de tal modo que, al final, haya llegado al grado máximo posible de extensión.

Figura 4:4(a)

Cuando tenga un dolor intenso, este ejercicio podrá reemplazar al número 3, en caso de que las circunstancias le impidan ejercitarse en la posición acostada. Sin embargo, este ejercicio no es tan eficaz como el 3.

Una vez que se haya recuperado por completo y no tenga ya dolor en la baja espalda, este ejercicio será **su principal instrumento para la prevención de otros problemas en la baja espalda.** Como medida preventiva, repita el ejercicio de vez en cuando, siempre que tenga que trabajar en una posición inclinada hacia adelante. Haga el ejercicio **antes** de que se presente el dolor.

Figura 4:4(b)

EJERCICIO 5

Flexión en posición acostada

Tiéndase de espaldas, con las rodillas dobladas y los pies apoyados de plano en el suelo o la cama *(figura 4:5a)*. Estará listo para iniciar el ejercicio 5.

Levante las dos rodillas hacia su pecho *(figura 4:5b)*. Coloque las dos manos sobre las rodillas y tire de estas últimas con suavidad, pero de modo firme, para acercarlas al pecho tanto como se lo permita el dolor *(figura 4:5c)*. Una vez que haya mantenido esta posición durante uno o dos segundos, deberá bajar las piernas y volver a la posición de partida. Es importante que **no levante la cabeza** al realizar este ejercicio **o que enderece las piernas al descenderlas.** Cada vez que repita este ciclo de movimientos, deberá tratar de llevar las rodillas un poco más cerca del pecho, de tal modo que, al final, haya llegado al grado máximo posible de flexión. En esta etapa, sus rodillas pueden tocar el pecho.

Este ejercicio se utiliza en el tratamiento de la rigidez en la parte inferior de la espalda, que puede haberse desarrollado desde que se inició la lesión o el dolor. Aun cuando los tejidos dañados pueden haberse curado, es también posible que se hayan acortado y vuelto menos flexibles. Ahora será necesario restaurar su elasticidad y su funcionamiento pleno, mediante los ejercicios de flexión. Estos últimos se deben iniciar con cuidado. Al comienzo se deberán hacer cinco o seis repeticiones por tanda y las sesiones se distribuirán entre tres o cuatro veces al día. Como habrá observado probablemente, este ejercicio elimina la lordosis una vez que las rodillas se doblan hacia el pecho, de tal modo que, para rectificar cualquier distorsión que pueda producirse, **a los ejercicios de flexión debe seguir siempre una tanda del ejercicio 3 - Extensión en posición acostada.**

Podrá dejar de realizar el ejercicio 5 cuando le resulte posible llevar las rodillas hasta el pecho, sin que se produzca rigidez ni dolor. Entonces, podrá pasar al ejercicio 6.

Figura 4:5

Figura 4:5(a)

Figura 4:5(b)

Figura 4:5(c)

EJERCICIO 6

Flexión en posición sentada

Siéntese en el borde de una silla recta, con las rodillas y los pies separados y deje que sus manos reposen entre sus piernas *(figura 4:6a)*. Estará así listo para iniciar el ejercicio 6.

Incline el tronco hacia adelante y toque el piso con las manos *(figura 4:6b)*. Vuelva inmediatamente a la posición de partida. Cada vez que repita este ciclo de movimientos, deberá tratar de doblarse hacia abajo un poco más, de modo que al final haya alcanzado el grado máximo posible de flexión y que su cabeza esté tan cerca como sea posible del suelo. El ejercicio puede hacerse que resulte más eficaz, sujetándose los tobillos con las manos y forzándose a descender todavía más *(figuras 4:6c y d)*.

El ejercicio 6 se deberá iniciar sólo después de que se complete una semana de práctica del ejercicio 5, tanto si éste tuvo éxito para reducir su rigidez o dolor como si no es así. Al principio deberá llevar a cabo sólo cinco o seis repeticiones por sesión; las tandas se tienen que repetir de tres a cuatro veces al día **y debe seguirles siempre el ejercicio 3**.

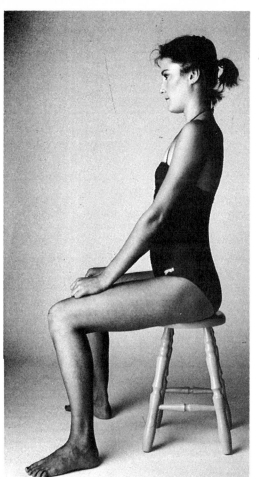

Figura 4:6(a)

Figura 4:6(b)

Figura 4:6(c)

Figura 4:6(d)

CAPITULO 5

CUANDO APLICAR LOS EJERCICIOS

EJERCICIO 1

EJERCICIO 2

EJERCICIO 3

CUANDO TENGA UN DOLOR INTENSO

Un ataque agudo de dolor intenso en la baja espalda provocará un sufrimiento que se siente en todo momento, sea cual sea la postura adoptada o los movimientos que se lleven a cabo. Empeora mucho al sentarse o levantarse de la posición sentada y al inclinarse hacia adelante. Si el dolor es también mucho peor de pie y al caminar, o si no puede enderezarse del todo, deberá reposarse en la cama. Podrá iniciar el programa de ejercicios durante este periodo de reposo en la cama, a condición de que pueda tenderse boca abajo durante periodos breves. Debería realizar los ejercicios 1 a 3, de cara hacia abajo, de cara hacia abajo y extensión y extensión en posición acostada. **Estos ejercicios son de primeros auxilios para el dolor en la baja espalda.** Inmediatamente después de los ejercicios, deberá ponerse sobre su espalda e insertar el rodillo que se describe en la página 35, bajo el encabezado de *Corrección de la superficie.* Esto mantendrá su espalda en la posición correcta durante el periodo de reposo en la cama. Debería buscar los consejos de su doctor o terapeuta manipulativo, en el caso de que su dolor sea tan intenso que le resulte imposible realizar cualquiera de los ejercicios o si su sufrimiento se hace intolerable.

Si el dolor no es lo bastante intenso para obligarle a reposarse en la cama y si puede efectuar alguna de sus actividades diarias a pesar del dolor, debería realizar los ejercicios 1 a 3 - de cara hacia abajo, de cara hacia abajo y extensión y extensión en posición acostada.

La finalidad de la realización de los ejercicios 1 a 3 es restaurar la lordosis. A continuación, deberemos mantenerla, prestando una atención cuidadosa a la postura y los movimientos en todo momento, durante la primera semana. Deben evitarse todas las posiciones redondeadas que se producen al inclinarse o sentarse repantigado y, de hecho, convendrá que se siente tan poco como le resulte posible. De este modo, al evitar las flexiones, se eliminará la causa de cualquier distorsión adicional de la juntura, permitiendo que se produzca una curación.

Al iniciar el ejercicio 3, puede experimentar al principio un aumento del dolor en la baja espalda; pero mediante la repetición del ejercicio, el dolor deberá reducirse gradualmente, de modo que se experimente un mejoramiento significativo para cuando haya completado diez movimientos o después de concluir unas cuantas tandas de ejercicios. El dolor puede localizarse también mucho más en el centro de la espalda. Esto es conveniente, así como también cualquier desplazamiento del dolor de las piernas y la región glútea hacia la mitad de la espalda. Al final, el dolor debería desaparecer y verse reemplazado por una sensación de rigidez o tensión.

Si su dolor no se reduce ni mejora mediante estos ejercicios, tenga la bondad de leer inmediatamente ¿No hay respuesta ni beneficio?, página 54.

En cuanto se sienta considerablemente mejor y que ya no tenga un dolor constante—quizá un día o dos después de que haya iniciado los ejercicios—, podrá dejar los ejercicios 1 y 2; pero debería continuar con el 3 y agregar el 4, extensión de pie. Hacia este momento, debería introducir el procedimiento de corrección de la inclinación hacia adelante, porque debe aprender a sentarse correctamente y a mantener la lordosis a poca distancia de su punto máximo. Por regla general, el dolor disminuirá al aumentar la lordosis y no lo sentirá una vez que mantenga la postura sentada correcta. El dolor volverá con facilidad en caso de que se olvide de su postura y pierda el hueco vital en su baja espalda. El ejercicio 4 debería hacerse siempre que las circunstancias impidan la realización del número 3; a intervalos regulares en posición sentada y trabajando en una postura inclinada hacia adelante, y antes y después de levantar cualquier peso, así como también durante los levantamientos repetidos. El procedimiento de sobrecorrección de la inclinación hacia el frente se debe llevar a cabo de dos a tres veces al día, hasta que esté familiarizado con la postura sentada correcta. Una vez que ya no sienta un dolor intenso, debería continuar el programa de ejercicios como se bosqueja en *Cuando el dolor intenso se haya calmado.*

CUANDO EL DOLOR AGUDO SE HAYA CALMADO

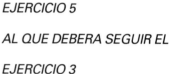

EJERCICIO 5

AL QUE DEBERA SEGUIR EL

EJERCICIO 3

Durante los últimos días ha estado realizando los ejercicios 1 a 4 y manteniendo una lordosis en todo momento. Una vez que se hayan curado los tejidos que sostienen la columna vertebral, será también posible que se hayan acortado y vuelto menos flexibles. Ahora será necesario restaurar su elasticidad y sus funciones completas. Esto se logra realizando ejercicios de flexión, que se pueden llevar a cabo de modo que no se produzca ningún daño ni desgarramiento adicional en los tejidos blandos que se hayan curado recientemente. Los riesgos de daños adicionales son mucho menores cuando se redondea la baja espalda en la posición acostada que de pie. Por consiguiente, deberá realizar ahora el ejercicio 5 —flexión en posición acostada.

El ejercicio 5 debería comenzarse cuando se recupere de un dolor intenso en la baja espalda y cuando haya estado sin sufrimiento durante de dos a tres semanas, aun cuando todavía pueda sentirse rígido al inclinarse hacia adelante. El ejercicio 5 puede ser también necesario en caso de que haya obtenido un mejoramiento importante mediante los ejercicios 1 a 4; pero al cabo de dos o tres semanas experimente todavía un pequeño dolor en el centro de la espalda, que no parezca querer desaparecer.

No es poco común que el dolor central, en la línea media de la baja espalda, se produzca al comenzar las flexiones en posición acostada. Un dolor inicial que desaparece gradualmente con la repetición del ejercicio es aceptable y significa que las estructuras acortadas se están estirando eficazmente. Sin embargo, si la flexión en posición acostada produce un dolor que aumenta en cada repetición, debería abandonar el ejercicio. En este caso, será demasiado pronto para comenzar las flexiones o el ejercicio no será apropiado para su estado.

IMPORTANTE—A los ejercicios 5 y 6 debería seguir siempre el 3— extensión en posición acostada. De este modo, podrá rectificar cualquier distorsión que pudiera desarrollarse debido al ejercicio 5.

Cuando pueda tocarse el pecho con las rodillas con facilidad y sin sentir incomodidad, habrá recuperado el movimiento completo. A continuación podrá dejar de hacer el ejercicio 5 y comenzar el 6. Debería seguir los lineamientos dados, para evitar la repetición de los problemas en la baja espalda y continuar llevando a cabo el programa de ejercicios como se indica para *Cuando no tenga dolor ni rigidez.*

CUANDO NO TENGA DOLOR NI RIGIDEZ

Muchas personas con problemas en la baja espalda tienen periodos prolongados en los que experimentan poco o ningún dolor. Si en el pasado o recientemente tuvo uno o más periodos de dolor en la baja espalda, deberá iniciar o continuar el programa de ejercicios, aun cuando por el momento no tenga dolor. Sin embargo, en esta situación no es necesario realizar todos los ejercicios, ni tampoco llevarlos a cabo cada dos horas.

Para evitar que se repitan los problemas de la baja espalda, debería:

1 Realizar el ejercicio 3 -extensión en posición acostada- en forma regular, de preferencia por la mañana y al anochecer.

2 Hacer el ejercicio 4 -extensión de pie- a intervalos regulares, siempre que tenga que sentarse o inclinarse hacia adelante durante periodos prolongados. Debería llevar a cabo también el ejercicio 4 antes y después de levantar pesos considerables y durante los levantamientos repetidos, así como también siempre que sienta una tensión menor que se desarrolle en su baja espalda.

3 Practique el procedimiento de sobrecorrección de la inclinación hacia adelante, siempre que comience a descuidar la postura sentada correcta.

4 Utilice siempre un rodillo lumbar en las sillas que no proporcionen un soporte adecuado.

Debería continuar con estos ejercicios y adoptarlos como parte regular de su vida. Sin embargo, es esencial que los haga **antes de que comience el dolor**. Aparte del ejercicio, es todavía más importante que observe su postura en todo momento y que no vuelva a permitir que las tensiones debidas a la postura causen más problemas en su baja espalda. Los mejores ejercicios tendrán poco o ningún efecto, si adopta constantemente una mala postura. Así pues, es aconsejable ejercitarse del modo que se describió antes, durante todo el resto de su vida; pero es necesario que desarrolle y mantenga buenos hábitos de postura. Recuerde que, si pierde la lordosis durante periodos prolongados, correrá el riesgo de que vuelva su dolor en la baja espalda.

Puesto que sólo se necesita un minuto para una tanda del ejercicio 3 y dos para completar una sesión del procedimiento de sobrecorrección de la inclinación hacia adelante, la falta de tiempo no debería ser nunca una excusa para no poder realizar dichos ejercicios.

¿NO HAY RESPUESTA NI BENEFICIO?

Después de ejercitarse sin ningún alivio ni beneficio durante tres o cuatro días, puede llegar a la conclusión de que los ejercicios que está realizando carecen de efectos. Hay dos causas principales para la falta de respuesta o beneficio de estos ejercicios. La falta de respuesta es posible en algunas personas cuando su dolor lo sienten sólo en uno de los costados de su columna o mucho más en un lado que en el otro. Si su dolor en el curso del día se siente sólo en un costado, más hacia un lado que hacia el otro o si lo siente más en uno de los costados al efectuar los ejercicios 1, 2 ó 3, será posible que tenga que modificar la posición de su cuerpo antes de iniciarlos. Para lograr esta modificación debería:

1 Adoptar la posición para realizar el ejercicio 1 y relajarse durante unos cuantos minutos *(figura 5:3)*.

2 Permanecer de cara hacia abajo y llevar las caderas hacia lo lejos del lado que le duela: o sea, si su dolor es por lo común más intenso en el lado derecho, deberá desplazar las caderas 8 a 10 cm (3 a 4 pulgadas) hacia la izquierda y volver a relajarse durante unos cuantos minutos *(figura 5:4)*.

3 Mientras permita que las caderas permanezcan en posición desalineada, apóyese sobre los codos, como se describe en el ejercicio 2 y relájese durante otros 3 ó 4 minutos *(figura 5:5)*.

Figura 5:3
ETAPA 1 Acuéstese de cara
hacia abajo.

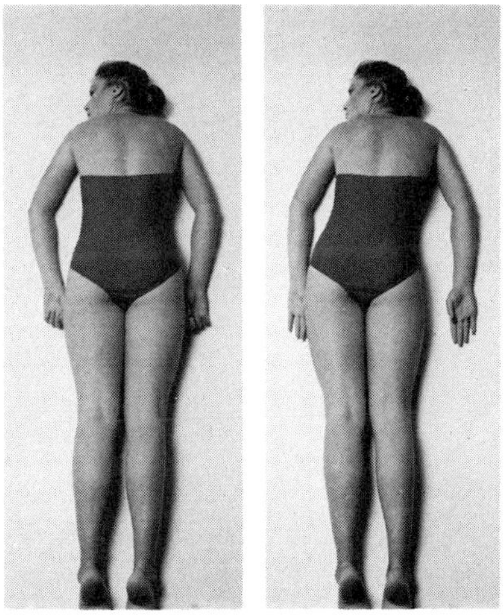

Figura 5:4
ETAPA 2
Aleje las caderas
del lado que más
le duela.

Figura 5:5
ETAPA 3 Con las caderas
desalineadas, apóyese sobre
los codos.

Figura 5:6
ETAPA 4
Con las caderas desalineadas,
estará listo para iniciar el
ejercicio 3.

Ahora estará ya listo para iniciar el ejercicio 3. Con las caderas
todavía desalineadas, complete una sesión del ejercicio 3 *(figura
5:6)* y, luego, vuelva a relajarse. Quizá necesite repetir el ejercicio

varias veces; pero antes de iniciar cada sesión de diez movimientos, debería asegurarse de que las caderas estén todavía desalineadas. Recuerde que tienen que estar alejadas del lado que le duela. Incluso con las caderas en la posición desalineada, debería tratar de elevarse cada vez más en cada repetición. Debería llegar a la cantidad máxima posible de extensión, en cuyo momento sus brazos estarían completamente derechos.

Durante los siguientes tres o cuatro días, debería seguir realizando los ejercicios 1, 2 y 3, a partir de la posición inicial modificada. La frecuencia del ejercicio y la cantidad de tandas al día deberían ser las mismas que se recomiendan en la sección de *Cuando tenga un dolor intenso, en la página 50.*

Al cabo de unos cuantos días de práctica, podrá observar que el dolor se distribuye más uniformemente en la espalda o se ha centralizado. Una vez que suceda esto, podrá dejar de seguir desviando las caderas antes de iniciar la tanda y continuar los ejercicios como se recomienda en la sección *"Cuando tenga un dolor intenso"*, en la página 50. De vez en cuando, el desplazamiento de las caderas, alejándolas del lado que le duela, es suficiente para que el dolor cese por completo.

La segunda causa de la falta de respuesta se produce cuando el ejercicio 3 se realiza sin una fijación adecuada. A veces, el ejercicio 3 proporciona beneficios tan sólo durante unas cuantas horas y, a continuación, el dolor regresa. La eficacia del ejercicio 3 se puede mejorar, manteniendo la pelvis abajo y utilizando las manos de otra persona, o bien, construyendo un dispositivo simple que se puede improvisar en el hogar, utilizando una mesa de planchar con un cinturón de asiento o una banda de cuero firme colocada con seguridad en torno a la cintura. Esta fijación adicional establece a menudo la diferencia entre el éxito y el fracaso del ejercicio *(figura 5:7).*

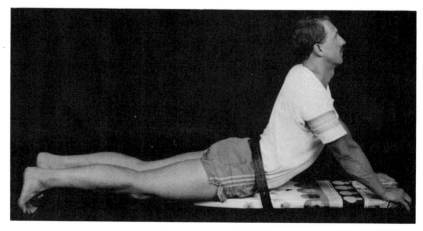

Figura 5:7

REPETICION

Sin tomar en cuenta lo que esté haciendo o dónde se encuentre, a la primera señal de repetición del dolor en la baja espalda debería iniciar inmediatamente los ejercicios que le produjeron previamente la recuperación y seguir las instrucciones dadas para aliviar el dolor intenso. Debería hacer inmediatamente el ejercicio 4 — extensión de pie. Si no elimina el dolor **a los pocos minutos,** deberá agregar inmediatamente el ejercicio 3 —extensión en posición acostada. La realización inmediata del ejercicio 3 puede evitar con frecuencia el comienzo de un ataque que lo deje incapacitado. Si el dolor es ya demasiado intenso para que pueda tolerar estos ejercicios, deberá comenzar con los 1 y 2, acostado de cara hacia abajo y de cara hacia abajo y extensión.

Finalmente, si tiene síntomas en uno de los lados que no se centralicen con los ejercicios recomendados, deberá desplazar sus caderas a lo lejos del lado que le duela, antes de comenzar los ejercicios, y mantenerlas en la posición desalineada mientras los lleva a cabo. Además de los ejercicios, deberá prestar una atención adicional a su postura y mantener la lordosis tanto como sea posible.

Si este periodo de dolor en la baja espalda parece distinto al de otras ocasiones anteriores y si el sufrimiento persiste a pesar de que esté siguiendo fielmente las instrucciones, deberá buscar asesoramiento.

CAPITULO 6

INSTRUCCIONES PARA PERSONAS CON DOLOR INTENSO EN LA BAJA ESPALDA

COMIENCE INMEDIATAMENTE LOS EJERCICIOS DE AUTOTRATAMIENTO

EJERCICIO 1

EJERCICIO 2

EJERCICIO 3

La regla simple consiste en que, si la inclinación hacia adelante ha sido la causa de una sobretensión, al echarse hacia atrás debería rectificarse este problema y reducirse cualquier distorsión resultante. Debería restaurar la lordosis con lentitud y cuidado, y nunca con mucha rapidez ni mediante movimientos bruscos. Debería dejar que pase cierto tiempo para que la juntura distorsionada recupere su posición y forma normales. Un movimiento repentino y violento puede retrasar este proceso, hacer aumentar la tensión en la juntura afectada y en torno a ella y dar como resultado un aumento del dolor en la baja espalda. Recuerde, al comenzar los ejercicios, que se puede esperar cierto aumento del dolor en la línea media de la baja espalda. Algunos ejercicios serán sólo eficaces cuando se introduzca en realidad al dolor mismo, mientras se ejercita. Debe sentir cierto dolor al realizar estos ejercicios; pero nunca debería tener un aumento duradero del sufrimiento que permanezca al día siguiente.

Cuando tenga un dolor intenso, aparte del ejercicio, deberá realizar ciertos ajustes en sus actividades cotidianas. Estos ajustes constituyen un aspecto muy importante de nuestro tratamiento. Si no sigue las instrucciones que se dan a continuación, retrasará de modo innecesario el proceso de la curación. **Esto es exclusivamente su responsabilidad.**

Mantenga la lordosis lumbar en todo momento. El permanecer sentado repantigado y el inclinarse hacia adelante, como para tocarse los dedos de los pies sólo hará que aumente la tensión en las junturas, que se estiren y debiliten las estructuras de apoyo y que se produzcan más daños en su baja espalda. Si se hecha hacia adelante, sentirá incomodidad y dolor. **La buena postura es la clave para la comodidad de la columna vertebral.**

Siéntese todo lo menos que sea posible y, cuando lo haga, tan sólo durante periodos breves. Si tiene que sentarse, escoja una silla alta y firme, con un respaldo recto, asegúrese de tener una lordosis adecuada y use un rodillo lumbar para dar soporte a la baja espalda. Evite sentarse en un colchón bajo y blando, con las piernas rectas hacia el frente, como al sentarse en la cama o el baño. Estas dos situaciones le obligan a perder la lordosis.

Al levantarse de la posición sentada, debería tratar de mantener la lordosis: desplácese hacia el frente del asiento, levántese, enderezando las piernas, y evite inclinarse hacia adelante por la cintura.

Conduzca el automóvil tan poco como sea posible. Es mejor que sea pasajero que que conduzca usted mismo. Si tiene que manejar, su asiento deberá estar lo suficientemente hacia atrás del volante de dirección para permitir conducir con los brazos relativamente rectos. En esta posición, la parte superior de su cuerpo se mantendrá hacia atrás y no podrá inclinarse hacia el frente. Esto le permitirá obtener todos los beneficios que proporciona el rodillo lumbar, que debería utilizarse siempre al manejar.

Evite las actividades que requieran la inclinación hacia adelante. Muchas actividades se pueden modificar de modo adecuado para permitir el mantenimiento de la lordosis. Es posible conservar la postura correcta al pasar la aspiradora en la posición de pie. También el mantener una lordosis correcta, poniéndose a gatas al realizar tareas en el jardín, hacer las camas, etc.

Si tiene un dolor intenso en la baja espalda, no deberá levantar pesos en absoluto. Si tiene que hacerlo, evite los objetos difíciles de manejar o que pesen más de 15 kilogramos (30 libras). Deberá utilizar en todo momento la técnica correcta de levantamiento de pesos.

Si siente incomodidad por la noche, obtendrá beneficios mediante el rodillo de soporte en torno a la cintura. Para la mayoría de las personas, se recomienda que el colchón no sea demasiado duro; pero que esté bien apoyado en una base firme. Si su cama se hunde, una lámina de madera contrachapada o varias tablas entre el colchón y la base harán que se enderece, o bien, podrá poner el colchón directamente en el suelo.

Al levantarse de la posición acostada, deberá mantener la espalda con lordosis: vuélvase hacia un lado, levante las dos rodillas, descienda los pies sobre el borde de la cama, levántese a la posición sentada, impulsando la parte superior de su cuerpo hacia arriba con las manos, y evite doblarse hacia adelante por la cintura. Póngase de pie en la posición sentada como se describió antes.

Evite toser y estornudar cuando esté sentado o inclinado hacia adelante. Debería ponerse de pie e inclinarse hacia atrás, si se ve forzado a toser o estornudar.

Evite las posturas y los movimientos que causaron inicialmente sus problemas. Deberá dejar que transcurra cierto tiempo para que se produzca una curación.

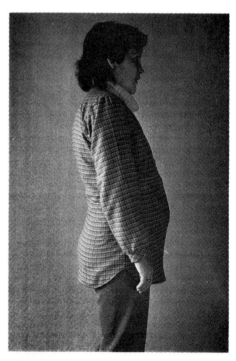

Figura 7:0
Posición típica de pie durante el embarazo.

CAPITULO 7

SITUACIONES ESPECIALES

DOLOR EN LA BAJA ESPALDA DURANTE EL EMBARAZO

Tanto durante el embarazo como después de él, las mujeres están sujetas a tensiones mecánicas alteradas que afectan la baja espalda y, con frecuencia, dan como resultado problemas. Conforme se desarrolla el nuevo bebé en el vientre de su madre, hay dos cambios simples que tienen lugar y que influyen en su postura.

En primer lugar, se tiene la masa y el peso que aumentan gradualmente, debido al bebé en desarrollo. Para mantener el equilibrio al permanecer de pie y caminar, la madre se debe inclinar más hacia atrás para contrabalancear la distribución modificada de su peso. El resultado de este ajuste de la postura es un aumento de la lordosis. En las últimas semanas del embarazo, la lordosis puede hacerse excesiva y esto conducirá a una sobretensión de los tejidos que rodean a las junturas de la baja espalda *(figura 7)*.

En segundo lugar, para preparar el cuerpo para el nacimiento inminente del bebé, la junturas de la pelvis y la baja espalda se hacen más flexibles y elásticas, debido al aumento natural de ciertas hormonas. Esta elasticidad mayor significa que las junturas de que se trata se aflojan y se pueden sobreesforzar con facilidad, al someterse a tensiones mecánicas.

Después de que nace el bebé, la madre está con frecuencia demasiado ocupada para darse una atención adecuada ella misma y, a veces, la mala postura que se ha desarrollado durante el embarazo sigue presentándose todo el resto de su vida.

Si sus problemas de espalda se iniciaron durante su embarazo o después de él, es probable que su lordosis se ha hecho excesiva y que sus problemas se deban primordialmente a tensiones de postura. Si es así, los ejercicios de extensión recomendados para la mayoría de las personas con dolores en la baja espalda no serán adecuados para usted en estos momentos y será preciso que se concentre primordialmente en la corrección de la postura de pie *(figura 7:1)*. Los problemas provocados por las tensiones de postura se resuelven siempre mediante la corrección de la posición. Durante una semana, deberá vigilar su postura muy de

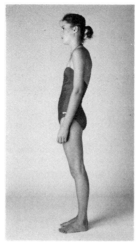

Figura 7:1

cerca. En todo momento, será preciso que mantenga la postura correcta, no sólo mientras esté de pie, sino también al caminar. Deberá **permanecer de pie y caminar bien derecho,** sin permitirse el hundimiento. Si al cabo de una semana de corrección de la postura, el dolor ha desaparecido o se ha reducido de modo considerable, la causa de sus problemas de espalda ha sido la mala postura.

Si los problemas de la espalda comenzaron durante el embarazo o después de él y **se siente peor al permanecer de pie y caminar y mucho mejor al sentarse,** los ejercicios de extensión no serán adecuados para usted. En ese caso, además de la corrección de la postura al permanecer de pie y caminar, debería realizar ejercicios de flexión y autotratamiento que consisten en los números 5 y 6 —flexión en posición acostada y flexión en posición sentada *(figura 7:2 y 7:2a).* Durante la primera semana, debería realizar el ejercicio 5 a intervalos regulares —o sea, 10 veces por tanda y de seis a ocho sesiones al día. Cuando haya mejorado hasta cierto punto gracias a este procedimiento, deberá agregar el ejercicio 6 en la segunda semana. El ejercicio 6 debe seguir al 5 y realizarse con la misma frecuencia. **No deberán seguir extensiones en posición acostada a los ejercicios de flexión realizados para aliviar el dolor de espalda que se presente durante el embarazo.** Una vez

Figura 7:2

Figura 7:2(a)

que su dolor haya cesado por completo, podrá dejar de hacer el ejercicio 5. Con el fin de evitar la repetición de los problemas en la baja espalda, debería continuar con el ejercicio 6 dos veces al día, de preferencia por la mañana y al anochecer. Deberá mantener en todo momento buenos hábitos de postura; pero en este caso no se deberá usar un rodillo lumbar.

Si no está seguro de a cual de estas dos categorías pertenece o no responde a los ejercicios de flexión, debería consultar a un terapeuta manipulativo.

DOLOR EN LA BAJA ESPALDA DE LOS ATLETAS

Después de treinta años de práctica, he llegado a la conclusión de que los problemas en la baja espalda que se producen en los atletas requieren un poco más que la atención habitual. Los síntomas de dolores en la baja espalda que se presentan en los atletas pueden comportarse a menudo de un modo extremadamente confuso y desorientador. Una combinación de varios factores contribuye a que aumente la confusión.

En primer lugar, los atletas están muy motivados para participar en su tratamiento y, a veces, llevan a los excesos los consejos que se les dan, tratando de acelerar su recuperación. Esta participación demasiado entusiasta en la rehabilitación de sus problemas de espalda, demora con frecuencia el proceso de curación, en lugar de acelerarlo.

Un segundo punto de preocupación es el de que su entusiasmo para participar en su pasatiempo o deporte favorito, hace que vuelvan a la participación completa, con frecuencia, mucho antes de que haya transcurrido el tiempo suficiente para permitir que se produzca una curación completa.

La tercera y la más común de las causas de confusión puede derivarse de la creencia frecuente que tienen los atletas de que la única causa de su problema es su participación frecuente en una actividad deportiva en particular. Subsecuentemente, esta creencia la refuerza un doctor o fisioterapeuta que, demasiado a menudo, llega a la misma conclusión. No es difícil hacer esto último, ya que es probable que tres de cada cinco atletas que experimentan dolor en la baja espalda declaran que su sufrimiento se presenta **después** de haber participado en un deporte o haberse dedicado a alguna otra actividad igualmente vigorosa.

La creencia de que el dolor que se presenta poco después de la actividad se debe a esta misma está muy extendida y es comprensible; pero suele ser con frecuencia errónea. La causa verdadera del dolor en esos individuos es la adopción de una posición inclinada hacia adelante, después del ejercicio a fondo de sus junturas *(figura 7:3)*. Después del ejercicio, uno suele sentarse y relajarse: puesto que estamos cansados, la postura sentada relajada se adopta casi inmediatamente. En otras palabras, después de un ejercicio vigoroso nos desplomamos y nos inclinamos mucho hacia adelante. Las junturas de la columna vertebral, durante el proceso del ejercicio vigoroso se mueven con rapidez en muchas direcciones, durante un periodo prolongado. Este proceso provoca un estiramiento completo en todas las direcciones de los tejidos blandos que rodean a las junturas. Además, el gel fluido que contienen los discos espinales se suelta y parece que se puede producir una distorsión o un desplazamiento, en el caso de que una junta ejercitada se encuentre posteriormente en una postura extrema. Esto es con mucha frecuencia la causa del dolor de espalda en los atletas y se puede demostrar con bastante facilidad, como lo explicaremos.

Figura 7:3

Si el dolor en la baja espalda se ha producido de hecho debido a la participación en un deporte, la recomendación de reposo de toda actividad sería un consejo apropiado. Sin embargo, si el dolor se ha presentado después de que se haya completado la actividad y si lo ha hecho como resultado de la adopción de una postura sentada, inclinada hacia el frente, ese consejo sería completamente inapropiado. El indicarle a un atleta que deje de participar en su pasatiempo favorito puede tener consecuencias graves, tanto emocionales como físicas.

Si es usted atleta o participa en actividades vigorosas y ha desarrollado recientemente un dolor en la baja espalda, será necesario que exponga la causa verdadera de este problema, con el fin de tratar su estado correcta y adecuadamente. Debemos determinar si su dolor se presenta **durante** la actividad en particular o **después de ella.** Si el dolor se presenta durante la actividad misma, su deporte puede ser la causa de los problemas actuales. Puede recordar algo que sucedió en el momento de la actividad y describir lo que sintió en ese instante; pero en una gran cantidad de personas que tienen dolor de espalda y participan en deportes, nunca se presenta incomodidad ni dolor mientras están compitiendo o participando, sino que lo hace después de la actividad.

Es fácil determinar si sus problemas en la baja espalda son el resultado de la posición sentada inclinada hacia adelante. A partir de ahora, **inmediatamente después de la actividad,** deberá vigilar su postura de cerca y sentarse correctamente, con la baja espalda en una lordosis moderada, apoyada en un rodillo lumbar *(figura 7:4 y 7:4a).* Por ejemplo, si ha jugado unos cuantos juegos de tenis, si ha terminado un recorrido de golf o competido en un partido de fútbol, no deberá desplomarse en un sillón cómodo, ni inclinarse hacia adelante en el automóvil para ir a su casa. Deberá sentarse correctamente, manteniendo la buena postura de modo meticuloso. En caso de que no se presente dolor como resultado de esta atención adicional a la postura, la respuesta a su problema será evidente y la responsabilidad de evitarlo le corresponderá por entero.

Figura 7:4

Figura 7:4(a)

Si entra en el grupo de personas que **tienen dolor sólo después de una actividad,** no será conveniente que comience los **ejercicios** al mismo tiempo que se inicie la corrección de la postura. Si los ejercicios se llevan a cabo junto con la corrección de la postura, será imposible determinar de dónde procederá el mejoramiento.

Si su dolor continúa después de la actividad, a pesar de que corrija su postura, será posible que se haya debilitado o dañado alguno de los tejidos blandos de su baja espalda. Si sucede esto, será el momento de iniciar el autotratamiento y debería realizar los ejercicios 3 y 4 —extensión en posición acostada y extensión de pie—, en forma regular. En caso de que no responda todavía, a pesar de la atención prestada a la postura y los ejercicios, deberá buscar los consejos de un terapeuta manipulativo.

La mala postura aparece a menudo en los atletas durante los intervalos de falta de participación: por ejemplo, al esperar su turno para un salto de altura, lanzar el disco o tomar el bate en el béisbol. Es necesario mantener una buena postura durante estos intervalos, así como también después de que concluya la actividad.

Si su dolor aparece regularmente **mientras** corre o va a paso olímpico, debería comenzar el programa de autotratamiento, como se indicó antes bajo el encabezado de *Cuando tenga un dolor intenso.* En caso de que no experimente ningún mejoramiento después de efectuar con cuidado los ejercicios y la corrección de la postura, será el momento de consultar a un terapeuta manipulativo. Es posible que deba pedir consejos respecto al tipo de calzado que deberá llevar, la superficie sobre la que esté corriendo y, posiblemente, su técnica para correr. Si sus problemas persisten a pesar de seguir esos consejos, será posible que necesite un tratamiento especial.

DOLOR EN LA BAJA ESPALDA DE LOS ANCIANOS

En la actualidad se sabe que el dolor intenso en la baja espalda tiende a presentarse menos una vez que pasan los cincuenta y cinco años de edad. Así pues, si tiene más de cincuenta y cinco años o algo así, podrá observar que experimenta un dolor más persistente en la baja espalda; pero que ya no tendrá los sufrimientos intensos y fuertes que le afectaban durante sus días más activos y vigorosos. De todos modos, este dolor puede causar problemas importantes, sobre todo si se ve forzado a reducir sus actividades. El cuerpo humano medra en actividad y decae con la inactividad prolongada. No es conveniente para ninguno de nosotros, sea cual sea nuestra edad, que reduzcamos nuestros niveles de actividad. Sólo si nos vemos obligados a disminuir las actividades, debido a problemas importantes relacionados con la salud, debemos ejercitarnos menos.

También se le puede decir que tiene cambios degenerativos en la espalda o artritis y que *tendrá que aprender a vivir con ello.* Aun cuando puede que sea cierto que su espalda se haya desgastado un poco con la edad, no es cierto que *tenga que seguir viviendo en esa forma.* Se ha descubierto que muchas personas que tienen junturas en sus columnas que se han desgastado con la edad, nunca tuvieron dolor de espalda y sabemos en la actualidad que el desgaste, de por sí, no causa dolor.

En mi experiencia, hay pocas personas que no obtengan ciertos beneficios mediante los consejos de postura o los ejercicios, o ambas cosas a la vez. Todas las personas ancianas deberían aplicar los consejos respecto a la corrección de la posición de pie, acostada y para dormir.

No todos los que se encuentren en el grupo de mayor edad podrán realizar todos los ejercicios como se aconsejan; pero pueden **intentarlos.** He descubierto que la edad no es necesariamente un impedimento para la aplicación adecuada de los ejercicios, aun cuando hay quienes pueden no tener éxito debido a la debilidad o la incapacidad, la mayoría podrán avanzar al menos hasta cierto punto mediante el programa recomendado.

Le aconsejo que comience, reduciendo quizá la cantidad de ejercicios que vaya a realizar en cada tanda y que tenga menos sesiones durante el día. No apresure el proceso y repósese siempre de modo adecuado después de completar los ejercicios —¡Por supuesto, con un apoyo apropiado y en la posición correcta!

OSTEOPOROSIS

A partir de la edad madura, muchas mujeres se ven afectadas por un trastorno llamado osteoporosis. Se trata esencialmente de un trastorno por deficiencia de minerales. Durante la menopausia y después de ella, hay una deficiencia importante y continua de reemplazamiento de calcio que se debe respaldar en muchos casos, en forma regular, con tabletas de calcio. Como consecuencia de la deficiencia de calcio, hay una debilitación de la estructura ósea que produce una reducción lenta; pero progresiva, de la altura de los huesos. A su vez, esto permite que las posturas de las personas afectadas se redondeen en extremo, sobre todo hacia la mitad de la parte torácica de la columna vertebral.

En las personas afectadas por estos trastornos, hay riesgos de que se produzcan fracturas, sin que se les apliquen grandes fuerzas sobre los huesos de las vértebras. Las investigaciones recientes, efectuadas en la Clínica Mayo de los Estados Unidos han demostrado que los ejercicios de extensión, realizados de modo regular *(figura 8:1),* han reducido considerablemente la cantidad de fracturas de compresión en el grupo que se ejercita de este

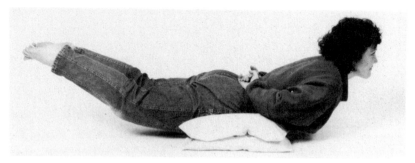

Figura 8:1

Tiéndase de cara hacia abajo, con una almohada bajo el abdomen. Con las manos entrelazadas detrás de la espalda, levante las dos pierna y la cabeza, así como también los hombros, a tanta altura como pueda. Mantenga la posición durante un segundo, si puede hacerlo y, a continuación, descienda y relájese. Repita el ejercicio unas cuantas veces, hasta que sienta que ha hecho ya lo suficiente para una tanda. Repita las sesiones cuatro o cinco veces a la semana y aumente la cantidad de levantamientos hasta que pueda efectuar quince o más de ellos con facilidad. La regularidad es importante y es posible que tenga que ejercitarse de este modo durante todo el resto de su vida.

¡Por supuesto, deberá prestar una atención especial al mantenimiento de una postura perfecta en todo momento!

modo. Un grupo similar que se ejercita de modo distinto y un grupo que no se ejercita en absoluto tuvieron una cantidad considerablemente mayor de fracturas cuando se examinaron al menos un año después. Este estudio sugiere que las mujeres de cuarenta años de edad o más, deberían practicar de modo regular este ejercicio, tal y como se describe. Mi propia recomendación sería que el ejercicio se realizara de quince a veinte veces, cuatro o cinco veces por semana. Si no está seguro respecto a este consejo, analícelo con su doctor antes de iniciar el programa. En caso de que tenga dificultades con los ejercicios por cualquier razón, debería consultar a un terapeuta manipulativo que le mostrará medios de modificar el ejercicio, sin reducir necesariamente su eficacia.

Los músculos reforzados al efectuar los ejercicios recomendados por el estudio de la Clínica Mayo son también los que tienen la responsabilidad de mantenerle en posición de pie, y es probable que la conservación de una buena postura en todo momento contribuya al proceso de fortalecimiento. Esto puede reducir también las probabilidades de que se produzcan fracturas menores.

CAPITULO 8

REMEDIOS Y SOLUCIONES COMUNES

FARMACOS Y MEDICAMENTOS

Como se indicó antes en este libro, la mayoría de los dolores comunes de espalda que experimentamos son de origen mecánico y, por consiguiente, se ven afectados sólo por fármacos y medicamentos con capacidades de alivio del dolor. No hay medicamentos ni fármacos que sean capaces de eliminar las causas de nuestros dolores comunes de espalda. Los medicamentos se deberán tomar sólo cuando los dolores sean demasiado intensos o cuando sea preciso obtener alivio.

REPOSO EN LA CAMA

Cuando su dolor de espalda sea tan intenso que se requiera reposo en la cama, deberá restringir este periodo de reposo a dos o tres días, cuando mucho. En un estudio efectuado recientemente en los Estados Unidos, se demostró que los pacientes que reposan en la cama durante dos días se recuperan tan bien como los que lo hacen durante siete. No obstante, los pacientes que siguen caminando y moviéndose, pudieron regresar a su trabajo antes que los que se reposaron durante de dos a siete días.

ACUPUNTURA

La acupuntura puede aliviar el dolor y, cuando todo lo demás haya fracasado, vale la pena intentarla. Sin embargo, debe estar consciente de que, al igual que al tomar medicamentos, sólo obtendrá alivio mediante la acupuntura; pero esta última no puede corregir por sí misma el problema mecánico subyacente.

QUIROPRACTICA, OSTEOPATIA O TERAPIA MANIPULATIVA

En el pasado, el tratamiento de los problemas de la espalda y el cuello mediante ajustes o manipulaciones de la columna vertebral, se consideraba como una de las formas más populares de tratamiento y los quiroprácticos y osteópatas demostraron, durante la primera mitad del siglo, que se podía obtener un beneficio a corto plazo mediante este tipo de tratamiento. Sin embargo, muchas investigaciones han demostrado en la actualidad que, mediante la manipulación o el ajuste de la columna no se obtienen beneficios a largo plazo y su uso puede crear una dependencia. También es posible que el uso excesivo de la terapia manipulativa o de ajuste pueda resultar perjudicial. El instituto McKenzie ha avanzado estos tipos de procedimientos de tratamiento hasta el punto en que, en la actualidad, podemos obtener mejores resultados, enseñándoles a los pacientes a manipularse ellos mismos. Aproximadamente al ochenta por ciento de la población se le pueden enseñar los métodos de automanipulación que se subrayan en este libro. El otro veinte por ciento de la población son los únicos que requerirán algún tipo de terapia manipulativa. Considero que es importante que las personas que están sufriendo dolores en la espalda estén conscientes de que los tratamientos de ajuste o manipulación de la columna no se deben aplicar a toda la población con dolores de espalda, sino que deberían reservarse para los pocos que lo necesiten verdaderamente. Desde luego, la manipulación de la columna no se debe usar antes de que las medidas de autotratamiento hayan resultado inapropiadas.

Si tiene dudas, consulte a un terapeuta manipulativo, un quiropráctico o un osteópata adiestrado por McKenzie.

ELECTROTERAPIA

Se utilizan diversas formas de calor, diatermia de onda corta y ultrasonidos en el tratamiento de los dolores de espalda. Estos tratamientos pueden modular o reducir temporalmente el dolor. Debe estar consciente de que no proporcionan beneficios a largo plazo y no contribuyen en absoluto al tratamiento del problema subyacente. Además, no hay ninguna prueba científica de que puedan hacer que se acelere la curación.

EL DOLOR DE ESPALDA EN LA COMUNIDAD

El dolor en la baja espalda está muy extendido por todo el mundo, tanto en las culturas occidentales como en las orientales. Se ha estimado que, para el año 2000, más de mil millones de personas que vivan en este planeta habrán experimentado dolor en la espalda de algún tipo u otro.

Hay muchas cosas que se pueden hacer para mejorar esta situación. Como individuo, debería quejarse siempre que encuentre asientos inadecuados en edificios u oficinas públicas. Deberá quejarse ante su distribuidor de automóviles si los asientos de los vehículos son inapropiados. Lo que es todavía mejor, en ese caso, será que busque otro automóvil. Al escoger muebles de sala (que se diseñan casi siempre para causar o perpetuar los problemas de la espalda), debería persistir hasta encontrar asientos que estén diseñados correctamente. A los administradores de las mueblerías se les debería indicar con toda claridad que los asientos que proporcionan están mal diseñados, cuando así sea. Hay muy pocas líneas aéreas que proporcionen asientos con respaldos adecuados para la baja espalda. Esto ha tenido consecuencias graves para algunos individuos que deben volar a largas distancias, durante muchas horas al mismo tiempo. Los empleados de oficina deben exigir asientos que proporcionen un soporte lumbar adecuado. Hay en el mercado muchas sillas de oficina y secretariales, rebuscadas y costosas, que no proporcionan ningún respaldo en absoluto.

El mal diseño de los asientos es uno de los factores que más contribuyen al desarrollo del dolor en la baja espalda. Sin embargo, otro factor todavía más importante se está poniendo de manifiesto cada vez con mayor claridad. Cuando antiguamente nuestros instructores de educación física en las escuelas se preocupaban de las malas posturas de los niños y trataban de corregirlas, en la actualidad parecen estar más interesados en producir el mejor equipo de fútbol, atletas que salten a la mayor altura posible y corredores muy rápidos. Los especialistas en educación física, en todas las partes del mundo, parece que ya no equipan a nuestros niños con la información que es tan necesaria para que puedan atender a sus propias necesidades físicas durante toda su vida en este planeta. El dolor de la columna, de origen de postura, no se presentaría si se les diera esta educación básica a los individuos a una edad temprana. Pregúntele a cualquier joven de doce años de edad si se le ha mostrado en la escuela cómo permanecer de pie correctamente o sentarse de manera adecuada. Será probable que le diga que nunca se le ha mostrado ninguna de esas dos posturas básicas y fundamentales ni se le han dado a conocer las consecuencias dañinas posibles que pudieran producirse al descuidar esas posturas.

Si todo esto le interesa, podría hacer una solicitud cortés a la administración de su escuela o a los instructores de educación física, pidiéndoles que se haga prioritaria la educación física de la postura para los niños. Además, será preciso que los muebles de las escuelas se examinen, ya que es difícil encontrar en casi todas ellas asientos bien diseñados. Los buenos hábitos de postura se deben instaurar a una edad temprana.

Estos son los pasos que podrá dar como persona preocupada para contribuir a que se produzcan algunos de los cambios que deben tener lugar, para que la sociedad afronte de modo sensible este problema enorme que, en los Estados Unidos, en 1982, costó aproximadamente 14,000 billones de dólares por concepto de compensaciones, tratamientos y rehabilitaciones.

PAGINA DE PANICO

EN CASO DE QUE SE PRODUZCA REPENTINA-
MENTE UN DOLOR AGUDO, LLEVE A CABO
LAS INSTRUCCIONES QUE SIGUEN

EJERCICIO 1

EJERCICIO 2

EJERCICIO 3

1 TIENDASE INMEDIATAMENTE BOCA ABAJO
Si esto es imposible, debido a la intensidad del dolor, váyase a
la cama. Trate de realizar los ejercicios al día siguiente.

**2 USE UNA TOALLA ENROLLADA O UN RODILLO NOCTURNO
EN TORNO A SU CINTURA, CUANDO REPOSE EN LA CAMA.**

**3 REALICE LOS EJERCICIOS 1, 2 Y 3, DIEZ VECES CADA DOS
HORAS.**

**4 SI EL DOLOR ESTA MAS HACIA UN LADO Y NO DISMINUYE,
DESPLACE LAS CADERAS, ALEJANDOLAS DEL LADO
DOLOROSO, Y REALICE LOS EJERCICIOS 2 Y 3.**

**5 REPOSESE TANTO COMO SEA POSIBLE, CON UN RESPALDO
CORRECTO.**

**6 NO SE DOBLE HACIA ADELANTE DURANTE DE TRES A CUA-
TRO DIAS.**

**7 SIENTESE PERFECTAMENTE EN TODO MOMENTO — USE UN
RODILLO LUMBAR.**

THE McKENZIE INSTITUTE INTERNATIONAL
SPINAL THERAPY AND REHABILITATION CENTRE
WELLINGTON, NUEVA ZELANDA

El McKenzie Institute International Spinal Therapy and Rehabilitation Centre (Instituto Internacional McKenzie, Centro de Terapia Espinal y Rehabilitación) se ha establecido con el fin de proporcionar programas de tratamiento residencial de pacientes internados para enfermos con problemas crónicos y repetidos de la espalda y el cuello.

El Centro acepta sólo pacientes cuyos síntomas hayan perdurado durante tres meses o más, que estén experimentando un trastorno significativo de su modo de vida y que no respondan a los tratamientos habituales de pacientes externos, además de que permanezcan sin mejoramiento.

El Instituto trabaja directamente con médicos y terapeutas que efectúan los envíos, para formular programas de tratamiento de seguimiento individualizado una vez que el paciente regrese al ambiente de su hogar.

Si le agradaría recibir información sobre los programas de tratamiento del Instituto, tenga la bondad de ponerse en contacto con:

The Executive Director
The McKenzie Institute International
P.O. Box 93
Waikanae, New Zealand